D1454522

LE SERIN

(CANARI)

Conception graphique de la couverture: Nancy Desrosiers
Photos: Josée Lambert
Illustrations des pages 56, 87 et 124: Madeline Deriaz

Nous remercions Jean Cardinal, propriétaire de l'animalerie AquaZoo de Beloeil, et Jennifer
Thorneloe, qui nous ont gentiment prêté les serins photographiés dans cet ouvrage.

DISTRIBUTEURS EXCLUSIFS:

• Pour le Canada et les États-Unis:
  MESSAGERIES ADP*
  955, rue Amherst,
  Montréal, Québec
  H2L 3K4
  Tél.: (514) 523-1182
  Télécopieur: (514) 939-0406
  * Filiale de Sogides ltée

• Pour la Belgique et le Luxembourg:
  PRESSES DE BELGIQUE S.A.
  Boulevard de l'Europe 117
  B-1301 Wavre
  Tél.: (010) 42-03-20
  Télécopieur: (010) 41-20-24

• Pour la Suisse:
  DIFFUSION: HAVAS SERVICES SUISSE
  Case postale 69 - 1701 Fribourg - Suisse
  Tél.: (41-26) 460-80-60
  Télécopieur: (41-26) 460-80-68
  Internet: www.havas.ch
  Email: office@havas.ch
  DISTRIBUTION: OLF SA
  Z.I. 3, Corminbœuf
  Case postale 1061
  CH-1701 FRIBOURG
  Commandes: Tél.: (41-26) 467-53-33
                 Télécopieur: (41-26) 467-54-66

• Pour la France et les autres pays:
  INTER FORUM
  Immeuble Paryseine, 3, Allée de la Seine
  94854 Ivry Cedex
  Tél.: 01 49 59 11 89/91
  Télécopieur: 01 49 59 11 96
  Commandes: Tél.: 02 38 32 71 00
                 Télécopieur: 02 38 32 71 28

Pour en savoir davantage sur nos publications,
visitez notre site: **www.edjour.com**
Autres sites à visiter: www.edhomme.com · www.edtypo.com
www.edvlb.com · www.edhexagone.com · www.edutilis.com

nos amis les oiseaux

Michèle Pilotte, vétérinaire

LE SERIN
(CANARI)

 le jour,
éditeur

Données de catalogage avant publication (Canada)

Pilotte, Michèle

   Le serin (canari)

   (Collection Nos amis les animaux)

   1. Canaris.   2. Canaris - Élevage.   3. Oiseaux de cage.
I. Titre.   II. Collection.

SF463.P54   1994   636.6'862   C94-940971-5

© 1994, Le Jour,
une division du groupe Sogides

Tous droits réservés

Dépôt légal: 3ᵉ trimestre 1994
Bibliothèque nationale du Québec

ISBN 2-8904-4549-6

Je dédie ce livre à tous les amis des oiseaux qui m'ont fait confiance comme vétérinaire œuvrant exclusivement auprès des oiseaux et des animaux exotiques et à l'«Hôpital pour oiseaux et animaux exotiques Rive-Sud» de Saint-Hubert.

Je remercie tout particulièrement une précieuse collaboratrice, Jennifer Thorneloe, qui m'a conseillée si judicieusement pour le chapitre consacré à la reproduction et aussi Céline Verret qui m'a fourni plusieurs livres de référence.

Je remercie également Aline, ma mère, qui a dû comme pour les ouvrages précédents transformer un brouillon en un texte facile à lire.

Le serin comme compagnon

Il y a plusieurs siècles déjà que l'homme a découvert les qualités du canari, qualités qu'il ne cesse depuis d'apprécier. Le naturaliste français Buffon (1707-1788) a écrit: «Si le Rossignol est le chantre des bois, le Serin est le musicien de la chambre.» Cet oiseau enjoué fut mis à la mode et apprécié pour son chant, d'abord par la noblesse, et ensuite par tous les amis des animaux. Au fil du temps, il a su gagner bien des cœurs par sa vivacité, son charme, sa joie de vivre et son chant harmonieux.

Pourquoi choisir un serin?

Il peut être difficile de choisir parmi les dizaines de variétés d'oiseaux de volière qu'on trouve dans le commerce. Le serin est un excellent choix, car il a l'avantage d'être peu coûteux; de plus, la cage et les accessoires se vendent à prix très abordable. Le coût d'achat de ce petit compagnon est cependant plus élevé que celui de la perruche ondulée ou de certains pinsons. Cela est attribuable aux caractéristiques particulières de cet oiseau et à la difficulté d'élever certaines catégories. Néanmoins, vous ne devriez pas acheter un animal uniquement en fonction de sa valeur marchande, car ce petit être vaut bien plus que son coût. Si vous adoptez un serin, vous *devenez responsable d'une vie*. Pensez-y...

Contrairement à la perruche, le serin ne babille pas inconsidérément; son chant est doux et mélodieux, jamais agaçant. Le serin est un oiseau tout en subtilité qui plaira à ceux qui rêvent d'avoir un compagnon hors pair. Il est difficile à apprivoiser, mais vous vous sentirez récompensé de vos efforts lorsqu'il vous prodiguera des marques d'affection.

Cet oiseau de petite taille convient parfaitement aux espaces limités. Les différentes variétés offertes sur le marché font aussi de cet oiseau si élégant une sorte d'«objet» décoratif intéressant. Mais attention! le serin est *avant tout* un être vivant qui requiert un entretien quotidien. Si vous croyez que les plumes, les pellicules, les déchets et les écales de graines dépareront le bel aménagement de votre appartement, achetez plutôt un bibelot en verre!

Le serin est un oiseau sociable; il peut apprécier une vie familiale mouvementée mais préfère le calme, la routine et la quiétude. Ce petit oiseau qui nécessite des soins minimes sera donc un compagnon idéal, et souvent même un ami privilégié pour les personnes seules ou âgées.

Un chant mélodieux est sans doute le premier critère pour choisir ce genre d'oiseau. Mais même aphone, le canari demeure un compagnon fascinant que vous apprécierez.

Les caractéristiques du serin

Votre serin appartient à l'ordre des passériformes (petit passereau) et également à la famille des fringillidés, tout comme le pinson, le chardonneret et le bec croisé. Il est surtout granivore, mais aime aussi les fruits, les légumes et les insectes.

Cet oiseau agréable en volière peut s'accorder avec d'autres espèces, telles que les pinsons. Il est à noter que deux serins mâles cohabitent mal sauf dans une très grande cage; en effet, ils risquent de se chamailler sans cesse et de se disputer le meilleur perchoir, l'accès à la nourriture ou les faveurs d'une femelle. À un moment donné, le plus fort l'emportera et pourra infliger de dures vexations à son rival déchu.

La vie de couple est préférable, mais elle comporte aussi des difficultés en dehors des périodes de reproduction: on assiste parfois à des «querelles conjugales», surtout si l'espace vital est limité. Aussi faut-il en général séparer le mâle de la femelle en dehors du temps des amours qui a lieu, selon certains auteurs, du 15 avril au 15 juillet, pour d'autres dès la fin de l'hiver (15 mars) et pour d'autres encore dès le 14 février, jour de la Saint-Valentin! (voir p. 123, La reproduction).

Le serin pèse de 17 à 30 grammes (quoiqu'il existe des serins obèses de plus de 35 grammes!) et mesure de 11 à 22 cm selon la race. Son espérance de vie est de 12 à 14 ans. C'est un oiseau vif et alerte, rarement immobile. Son vol est gracieux, nerveux et délicat.

Les origines du canari et les différentes variétés

Vers la fin du XVᵉ siècle, les marins espagnols conquirent Madère, les Canaries et les Açores, des îles situées dans l'océan Atlantique au large des côtes de l'Afrique et de l'Europe. Ils y furent accueillis par des nuées de petits oiseaux (de 12 à 14 cm de long) au plumage jaune verdâtre, aussi nombreux alors que le sont aujourd'hui les moineaux ou les pigeons de nos villes. Ce lointain ancêtre de votre canari les charma aussitôt par son caractère enjoué, mais surtout par son chant mélodieux.

Appelé «serin des Canaries», il conquit rapidement le cœur de la noblesse européenne. Le canari sauvage ou serin *Serinus canarius* ou *Fringilia Canaria*, est, comme le vôtre, un granivore du groupe des passereaux et de la famille des fringillidés.

Bien plus tard, les ornithologues classèrent le canari domestique, *Serinus canarius canarius,* comme une espèce distincte. Dans cet ouvrage, nous utiliserons indistinctement les termes serin et canari, comme le veut l'usage populaire.

Le canari aurait pu être réservé exclusivement aux gens de la noblesse qui pouvaient s'offrir ce luxe, puisque les conquérants espagnols avaient pris bien soin de n'exporter que des mâles, rendant tout élevage impossible sur le continent européen. Était-ce pour protéger leur marché ou tout simplement parce que la capacité vocale des mâles est de loin supérieure à celle des femelles? ou était-ce parce qu'il n'y avait aucune demande pour les femelles? Heureusement pour nous, ce monopole cessa lorsqu'un navire espagnol ayant à son bord une cargaison de centaines de serins s'échoua malencontreusement (pour les marchands d'alors) sur les côtes de l'île d'Elbe, non loin de l'Italie. Le climat plaisant et l'absence de prédateurs permirent aux canaris échappés des cales du navire de se multiplier et de proliférer.

C'est ainsi que naquit la canariculture. Les Italiens revendirent les mâles et les femelles et on découvrit bientôt que ce charmant passereau se reproduisait très facilement en captivité. Au fil des années, l'engouement pour le canari prit de l'ampleur et on vit apparaître plusieurs clubs d'élevage en Hollande, en Angleterre, en France, en Belgique et en Allemagne. Par ailleurs, la domestication, la sélection, la reproduction contrôlée et les mutations finirent par modifier l'apparence de ce petit oiseau verdâtre à un point tel que son plumage prit la couleur très particulière du «jaune serin» comme en témoigne aujourd'hui l'expression consacrée! Enfin on doit surtout aux Allemands d'avoir développé ses qualités de chanteur. Votre canari est donc bien différent du serin sauvage d'origine autant par son aspect que par son chant.

Il est étonnant de constater qu'un si petit oiseau ait pu avoir une telle variété de descendants et ait entraîné l'apparition d'autant de races, tant et si bien qu'il n'est pas facile de s'y retrouver de nos jours. Il existe actuellement plus de quarante variétés de canaris, mais on pourrait en dénombrer plus d'une centaine en tenant compte des différentes nuances de coloration. En fait, d'une année à l'autre, de nouvelles nuances de coloration ou de nouvelles formes sont créées alors que d'autres disparaissent, faute d'intérêt ou par suite d'une sélection trop poussée qui a rendu la race peu fertile et non viable à long terme.

Nous nous bornerons ici à présenter une description sommaire de certaines races considérées comme des «valeurs sûres». L'amateur qui veut en savoir davantage pourra consulter d'autres excellents ouvrages consacrés à l'élaboration des critères officiels des races qui peuvent inclure des tableaux de pointage très précis. Voici quelques exemples pour piquer votre curiosité.

Divisions principales	
Canari de couleur	Race pour laquelle la coloration du plumage est le principal critère de sélection.
Canari de forme et de posture	Race pour laquelle les principaux critères de sélection sont la qualité et la disposition du plumage, la morphologie et la posture de l'oiseau.
Canari chanteur	Race uniquement développée pour la qualité et la variété de son chant.

Canari de couleur
SAXON: aussi appelé canari commun
• pourrait aussi être considéré comme un chanteur puisque son ramage égale son plumage
• plusieurs couleurs possibles du vert au jaune

CANARI À FACTEUR ROUGE: Tous les canaris présentant des teintes de rouge-orange sont issus originellement du croisement de la femelle canari avec le petit cardinal du Venezuela (moineau d'Amérique du Sud), aussi appelé Siskin à huppe rouge ou tarin rouge à tête noire (Fringillia cuculata).

Canari de forme et de posture		
Canari frisé	Tous ces canaris ont un plumage particulier très vaporeux.	• Frisé du nord • Frisé du sud • parisien • Gibier italicus • milanais • padovan

Canari anglais	Ces canaris d'origine anglaise ont un plumage et une posture typique.
	
	Plusieurs de ces canaris existent en version huppée.
		• Lizard
		• Norwich
		• yorkshire
		• London fancy
		• Border fancy
		  Fife Fancy (ou Fifeshire)
		• Gloster Fancy
		  huppé dit corona
		  ou non huppé dit
		  consort
		• Lancashire

Canari étrange		Bossu belge bernois

Canari chanteur	
* Harzer (canari Harz) aussi appelé roller allemand ou rouleur	Le plus célèbre des chanteurs au bec fermé. Chant doux et mélodieux, d'une qualité exceptionnelle
* Malinois (rossignol parisien)	Serin belge au chant harmonieux et puissant
* Timbrano (canari de Paris)	Serin chanteur espagnol, rustique et robuste
Canari de chant américain	Race dédaignée par les Européens mais pleine de qualités. Très proche du Saxon.
Saxon	Son chant est celui du chopper, vigoureux et retentissant, bec ouvert (voir Canari de couleur)

* Race officiellement reconnue pour les concours

Et plus en détail

Qu'est donc votre petit canari? Il y a 80 p. cent de chance, si non spécifié autrement par le vendeur, que ce soit un canari commun dit Saxon, mais commun ne veut surtout pas dire vulgaire et ordinaire. Votre ami à plumes réunit toutes les qualités des canaris de fantaisie. Son apparence est bien proportionnée, son chant clair et joyeux, il est robuste et se reproduit facilement. Pourquoi alors avoir développé tant d'autres variétés? La nature humaine est curieuse et le défi relié à la création de races différentes ainsi que le plaisir de mettre à l'épreuve les lois de Mendel (loi de la génétique) amènent les éleveurs à sélectionner des mutations étranges mais souvent charmantes. Nous discuterons plus en détail de quelques-unes de ces races.

Le Saxon

Canari commun au chant clair et joyeux, parfois même un peu envahissant, il est de taille moyenne: 12 à 15 cm et bien proportionné. Robuste, bon reproducteur et de caractère enjoué, c'est le canari de choix pour débutant quoique peu prisé en concours. De couleurs variées, avec le jaune serin comme préférence, c'est le plus répandu en canariculture.

Le canari à facteur rouge

Variété de Saxon à plumage teinté de rouge créé à l'origine par un croisement interspécifique; on a fait hybrider une femelle canari avec un autre passériforme: le cardinal du Venezuela. On note des colorations variant de l'orange clair au rouge brique. Si la sélection pour la couleur n'a pas été trop sévère, c'est aussi un canari robuste et bon reproducteur. Ses caractéristiques sont celles du Saxon.

Attention: La couleur orange-rouge de ce serin est avivée par certaines nourritures colorantes, notamment de la carotène. Lors de l'achat, votre oiseau sera d'une couleur beaucoup plus vibrante que ce que vous pourrez observer à la suite de la première mue. Vous pouvez raviver ses couleurs avec des produits colorants, mais ce n'est pas souhaitable à long terme.

Il existe de nos jours différentes préparations disponibles à la boutique d'animaux pour accentuer le facteur rouge de votre serin. Dans la littérature, on retrouve aussi plusieurs «recettes miracles», certaines possiblement valables, d'autres plutôt farfelues. Par exemple, au XIXe siècle, l'agent colorant employé était du poivre de Cayenne! On dénonça cette pratique comme cruelle et d'autres variétés de poivre doux furent employées. L'ajout de carottes de façon quotidienne à la diète de votre protégé durant la mue pourrait accentuer la coloration, mais les quantités requises sont importantes. D'autres aliments, comme les fleurs de souci, de capucines, les graines de moutarde, le safran, la betterave, etc., furent utilisés avec un certain succès.

Il faut cependant se rappeler que tous les produits sont inutiles si votre serin n'a pas l'hérédité requise, soit le facteur rouge. Votre canari jaune serin ne deviendra jamais orangé, à moins de... le teindre!!

Le harzer ou roller allemand (rouleur)

Le Pavarotti et le Caruso des canaris! Ce serin fit couler beaucoup d'encre. Développé dans la région d'Harz en Allemagne en grand secret, ses premiers concerts en concours firent perdre la voix à plus d'un juge. Sa grande sensibilité vocale, son répertoire étendu et la finesse de son interprétation firent sensation. Il chante d'une voix flûtée, émise bec fermé, sur différents registres que seul un mélomane pourra réellement apprécier.

Ce canari, ayant été sélectionné uniquement pour la qualité de son chant, a conservé une morphologie qui le rapproche beaucoup de son ancêtre sauvage. Son plumage est typiquement vert, jaune paille et panache vert et jaune. L'on dit que la couleur verte est celle des meilleurs chanteurs.

Les canaris frisés

À partir de serins importés dans les Pays-Bas, vers les années 1600, certains éleveurs ont recherché la perfection des formes et du plumage et ont réussi par des croisements étudiés à créer des serins frisés.

Avec leur plumage vaporeux, leurs longues plumes savamment ébouriffées et leur élégance royale, on les dirait droit sortis d'un salon de coiffure.

Ce sont cependant souvent des serins fragiles et de piètres reproducteurs. La qualité de leur chant est généralement inférieure à celle du canari commun. Il existe plusieurs variétés de serins frisés dont le plus beau est le frisé parisien.

Nous ne les recommandons que pour les amateurs d'inusité et pour les éleveurs expérimentés.

Le Norwich

L'on a dit de lui qu'il ressemblait à un œuf à plumes! C'est un grand canari massif au plumage abondant, de caractère placide et au chant agréable. On le retrouve aussi en version huppée (dit *crested*) et dans toute la gamme des couleurs.

Après le Saxon, c'est le plus populaire des canaris auprès du grand public.

Le Yorkshire

Pour mieux le décrire, on l'a comparé à une carotte! En effet, sa forme très particulière où chaque plume s'ajuste très étroitement au corps met en valeur sa grâce et sa distinction. Sa pose est raffinée et aristocratique. C'est un serin tout en longueur, jaune, vert ou tacheté, dont la position très droite est une caractéristique essentielle. C'est un serin tranquille, doté d'un chant intéressant.

Le Gloster ou Gloster Fancy

Le Gloster est un très petit canari (11 à 12 cm), au corps à la fois fuselé et arrondi. Il est vif, robuste, excellent chanteur et reproducteur prolifique.

L'on distingue le gloster huppé (ou corona) et celui à tête lisse (ou consort).

Le border et le fife

Voici deux races développées en Angleterre, dont les sujets sont robustes et bons reproducteurs. Le border est plus grand et plus fort que le canari commun, tandis que le fife est une des plus petites races de canaris.

Il existe bien d'autres races de canaris, plus ou moins populaires, selon votre région, entre autres l'étonnant «bossu belge» qui, comme son nom l'indique, ressemble à un bossu; le «lizard» au plumage pailleté étrangement coloré; le «canari blanc», le «scotch fancy» au corps en forme de 7, et bien d'autres.

Rappelons cependant qu'il existe beaucoup de variations même entre les canaris d'une même race, surtout au niveau du caractère et de la capacité vocale.

Distinguer le mâle de la femelle

Distinguer entre le mâle et la femelle chez le serin n'est pas facile et seul un expert (éleveur, animalier compétent, vétérinaire, amateur expérimenté) pourra confirmer le sexe de votre oiseau et même là, dans environ 15 p. cent des cas, ils ne pourront vous le garantir.

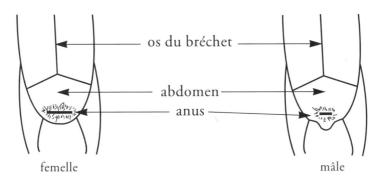

Différence de forme de l'abdomen selon le sexe du serin: visible en soufflant sur les plumes.

Toutes les couleurs et toutes les variations de formes se retrouvent chez les deux sexes. Le chant ou l'absence de chant n'est pas non plus un critère absolu puisque certaines femelles ont hérité d'un chant mélodieux et que plusieurs mâles sont de piètres chanteurs… L'oiseau qui pond est sans nul doute une femelle. (Rappelons que des œufs, bien sûr, non fertilisés, pourront être pondus, même si l'oiseau n'a eu aucun contact avec un mâle.)

La forme de l'abdomen (bas-ventre) est le critère le plus valable pour sexer les canaris. Chez la femelle, le ventre est rond, lisse et bedonnant; chez le mâle, le ventre est plus plat mais le cloaque (anus) est proéminent et souvent projeté vers l'avant. La différence est assez subtile et c'est pourquoi seul un expert pourra la distinguer.

Que choisir, un mâle ou une femelle?

Chez le canari, où le chant est une qualité très recherchée, la demande pour les mâles est beaucoup plus importante et, en conséquence, leur prix d'achat est aussi plus élevé.

En général, le mâle est un bien meilleur chanteur; 90 p. cent des serins mâles en santé auront un chant satisfaisant tandis que 10 p. cent des femelles seulement auront un tel don.

Le chant chez le canari remplit plusieurs rôles et est sous le contrôle de facteurs physiques, psychologiques, environnementaux et hormonaux. Le chant représente un atout charmeur pour attirer les compagnons du sexe opposé et il exprime la joie de vivre de l'oiseau. Le chant est aussi lié à la défense du territoire et les vocalises retentissantes du canari sont une façon de marquer sa présence face à d'éventuels intrus.

Peu importe son sexe, un oiseau ne chante que s'il est relativement en bonne santé physique, dans un environnement stimulant, mais non stressant, et si son moral est bon. (Voir p. 35, Facteurs qui stimulent le chant.)

Le facteur hormonal, soit le taux de testostérone dans le sang, explique la différence entre la fréquence des chanteurs mâles par rapport aux femelles.

En effet, des taux élevés de testostérone, comme l'on retrouve chez la majorité des serins mâles et la minorité des serins femelles, vont stimuler des comportements dits «mâles», comme la recherche active d'une compagne, le rituel de la cour, l'agressivité, la défense du territoire et le chant.

Si votre premier désir en choisissant un serin comme compagnon est d'apprécier la qualité de son chant, le choix d'un mâle s'impose donc à moins que vous n'ayez entendu votre serin chanter avant l'achat.

Le canari femelle a également de grandes qualités. Elle est aussi vivace que le mâle, mais moins nerveuse et plus facile à apprivoiser. Elle est plus douce et vivra facilement en groupe de plusieurs individus.

Choisir un couple...

Si vous aspirez à avoir une progéniture de vos oiseaux, il est, bien sûr, essentiel de posséder le couple. D'autre part, deux mâles ne cohabiteront que difficilement, mais un couple de femelles s'entendra à merveille.

Le couple hétérosexuel aura des hauts et des bas et mieux vaut prévoir une cage assez vaste pour séparer les deux oiseaux, en dehors de la période de reproduction. Le serin mâle gardé avec sa femelle pourra parfois cesser complètement de chanter.

Où acheter un serin?

L'achat d'un serin demande mûre réflexion, non que son prix soit très élevé, mais parce que cela implique beaucoup de responsabilités. Cet oiseau que vous choisirez sera votre compagnon pendant plusieurs années. Il est entièrement dépendant de vous pour sa survie et, nous l'espérons, pour mieux que cela encore: *vivre* et *vivre heureux!*

Chez l'éleveur

Si vous le pouvez, rendez-vous chez un bon éleveur: c'est certainement la meilleure personne pour vous fournir un serin.

Demandez à l'éleveur la généalogie de l'oiseau et sa date de naissance exacte; demandez aussi, si possible, de voir ses parents. Les éleveurs de serins sont assez nombreux, car ces oiseaux se reproduisent bien en captivité. Cependant, le fait qu'ils soient nombreux implique qu'on y voie du meilleur et du pire! Pour trouver un bon éleveur, renseignez-vous auprès de vétérinaires, visitez les expositions d'oiseaux, lisez des revues spécialisées, consultez la liste des associations d'aviculteurs et communiquez avec celles-ci; bref, informez-vous auprès de plusieurs sources.

Dans une boutique d'animaux

La boutique d'animaux est l'endroit où il est le plus facile de se procurer un serin, mais il faut bien la choisir. Assurez-vous que le personnel est compétent et en mesure de bien vous conseiller. L'endroit est-il propre? Vous permet-on de faire examiner votre futur compagnon par un vétérinaire? Vous donne-t-on une garantie de 24 à 48 heures, en cas de problèmes majeurs? Avez-vous une garantie de chant? (voir p. 30). Les boutiques d'animaux offrent plusieurs sortes d'oiseaux et vous permettent donc de choisir celui qui vous convient le mieux. Elles offrent aussi un service après-vente et tous les accessoires nécessaires pour agrémenter la vie de votre serin.

Certaines boutiques d'animaux ont leur propre élevage; d'autres traitent avec un ou plusieurs petits éleveurs locaux. Néanmoins, la plupart des oiseaux sont achetés par catalogue comme de la marchandise chez des grossistes qui les importent ou s'approvisionnent dans les fermes d'élevage commercial. La qualité des serins peut donc varier beaucoup. Il est à noter, cependant, que certaines boutiques d'animaux sélectionnent les oiseaux et retournent les sujets douteux aux fournisseurs. Votre vétérinaire pourra vous recommander une bonne boutique d'animaux.

D'un particulier

La reproduction du serin en captivité étant assez simple, un voisin ou un ami pourrait vous proposer un jeune serin. Vous pourriez faire un bon choix si:

- les parents sont exempts de tares génétiques (problème de plumage, difformité du bec, etc.); les éleveurs attentifs ne retiennent pas ces sujets pour la reproduction;
- les adultes et les jeunes ont reçu une alimentation adéquate. Malheureusement, beaucoup de gens se contentent encore de nourrir leur serin de graines sans supplément (voir p. 41, L'alimentation). Par conséquent, les problèmes de croissance, de difformités osseuses et de malnutrition, qui prédisposent aux infections, sont plus nombreux chez les bébés provenant des particuliers que chez ceux des éleveurs;
- le serin chante déjà au moment de l'achat. Attention! car la plupart des profanes ne pourront vous confirmer le sexe de leur oiseau, ni vous offrir une garantie de chant. Heureusement, ces conditions sont souvent réunies: les bébés serins gâtés et chouchoutés, qui ont eu droit à plus d'attentions que s'ils avaient été perdus dans le lot chez l'éleveur, seront de merveilleux compagnons déjà apprivoisés.

Critères pour bien choisir votre serin

Peu importe d'où proviendra votre nouvel oiseau, les règles de base présentées ici vous aideront à choisir le meilleur sujet.

L'âge

Nous vous conseillons d'acheter un oiseau jeune, c'est-à-dire qui a entre six et dix-huit mois. Avant six mois, le petit ne chante pas encore; vous ne serez donc pas en mesure de juger de ses futures performances vocales. Il est difficile de déterminer le sexe des très jeunes oiseaux, même pour un expert. Si toutefois le chant et le sexe n'ont pas d'importance pour vous, l'oisillon pourra être séparé de ses parents dès l'âge de six semaines et sera alors plus facile à apprivoiser. Il arrive qu'un oiseau plus âgé soit plus agité et s'adapte lentement à son nouvel environnement, mais son chant sera plus varié et plus harmonieux, surtout s'il a séjourné chez l'éleveur ou à la boutique d'animaux en compagnie d'autres bons chanteurs. Rappelez-vous toutefois qu'un oiseau plus âgé a bien sûr une espérance de vie moindre.

Pour évaluer plus sûrement l'âge de votre oiseau, consultez une personne compétente: vétérinaire, éleveur, propriétaire de boutique d'animaux fiable. Mais sachez qu'il n'existe aucune façon d'être absolument certain de l'âge exact d'un oiseau. Chez le chien, le chat, le cheval, l'examen de la dentition donne des indices précieux, mais voilà, les poules… et les serins n'ont pas de dents!

Si l'oiseau est bagué, vérifiez le numéro de la bague. La plupart du temps, l'année de la naissance apparaît à la verticale tandis que d'autres chiffres, codés différemment selon l'éleveur, sont inscrits à l'horizontale.

Exemple:
Année inscrite
à la verticale: 1988

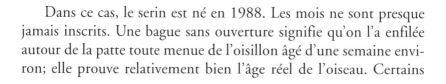

Code: 570
Numéro des parents,
numéro de la portée, etc.

Dans ce cas, le serin est né en 1988. Les mois ne sont presque jamais inscrits. Une bague sans ouverture signifie qu'on l'a enfilée autour de la patte toute menue de l'oisillon âgé d'une semaine environ; elle prouve relativement bien l'âge réel de l'oiseau. Certains éleveurs fonctionnent uniquement par code et il peut alors être difficile de savoir l'âge de cette façon. Un serin vieillissant a souvent les pattes plus écailleuses.

L'apparence extérieure

Essayez de vous procurer un oiseau qui se rapproche le plus possible du spécimen parfait. L'oiseau que vous recherchez aura les yeux vifs, un comportement alerte et un plumage brillant exempt de zones déplumées. Méfiez-vous d'un oiseau inactif, au plumage hérissé, surtout s'il dort la tête retournée et enfouie dans ses plumes. Même si l'achat d'un serin ne constitue pas un investissement majeur, vous avez tout intérêt à prendre le temps de bien le choisir. Cela pourrait vous éviter la tristesse de voir mourir votre petit compagnon quelques semaines ou même quelques jours après l'achat; alors prudence!

Observez bien l'oiseau que vous désirez acheter: est-il alerte? mange-t-il bien? ses selles sont-elles normales (comparez avec celles des autres oiseaux)? a-t-il un plumage bien lisse? ses narines sont-elles claires, sa respiration facile? est-il enjoué et curieux? a-t-il la voix claire? Ce sont autant de signes de bonne santé.

CONSEILS

- Un serin bien portant est rarement inactif en plein jour. Ce petit oiseau plein de vie doit sauter vigoureusement d'un perchoir à l'autre, sinon il a peut-être un problème.
- Observez aussi les autres serins non loin du vôtre. En effet, bien des maladies contagieuses se transmettent très facilement par la poussière et les plumes d'une cage à l'autre. Même si votre futur compagnon semble en très bonne santé, il pourrait couver une maladie dont les symptômes ne se manifesteront que lorsqu'il sera trop tard.

- Jetez un coup d'œil à la cage: des plats sales, un fond de cage malpropre, une odeur désagréable sont autant de signes de mauvaise hygiène: les bactéries et les champignons, qui peuvent y proliférer, ont peut-être déjà contaminé votre oiseau.
- Les maladies respiratoires sont sans doute les plus dangereuses chez le serin. N'achetez jamais un oiseau qui éternue fréquemment (un à deux éternuements par jour sont cependant normaux), qui respire bruyamment avec le bec ouvert, ou dont les narines sont obstruées par des sécrétions.
- Un oiseau déplumé ou qui se gratte excessivement peut être porteur de parasites ou être atteint de maladies de la peau.
- Si vous avez déjà un ou plusieurs oiseaux à la maison, attendez trente jours avant de les mettre en contact avec le nouveau venu. Si possible, placez-le dans une pièce isolée.

L'examen vétérinaire

Malgré toute votre bonne volonté, certains défauts ou problèmes peuvent vous échapper. Aussi est-il bon de demander, au moment d'acheter l'oiseau, la permission de le faire examiner à vos frais par un vétérinaire. La plupart des boutiques d'animaux ou des éleveurs accepteront, pourvu que l'examen se fasse dans un délai de 24 à 48 heures, et ils remplaceront l'oiseau si un problème est alors détecté. Cet examen vaut souvent le coût puisque que la mortalité chez les serins est élevée, surtout au cours des premiers mois suivant l'achat. Beaucoup de serins sont aussi porteurs de parasites qui sont très faciles à traiter si on agit dès le début.

Malheureusement, certaines maladies ne sont détectables qu'après plusieurs jours d'incubation. Un bon vétérinaire pourra *parfois* vous mettre en garde s'il décèle certains symptômes: maigreur, déshydratation, pâleur des muqueuses, difficultés respiratoires. Certes l'examen du vétérinaire ne vous met pas à l'abri de problèmes ultérieurs, mais c'est une très bonne précaution à prendre.

CONSEILS

- Si un vendeur refuse l'examen vétérinaire, n'achetez pas l'oiseau. De toute façon, l'examen est à vos frais; alors *si* son oiseau est en bonne santé, qu'a-t-il à perdre?
- Consultez autant que possible un vétérinaire ayant de bonnes connaissances en médecine aviaire (médecine des oiseaux), laquelle est très différente de celle des chiens ou des chats.
- Profitez de votre visite pour faire donner à l'oiseau les soins de base: coupe de griffes, coupe de la bague et au besoin traitement contre les parasites. Demandez des conseils au vétérinaire sur l'alimentation et l'entretien.

Les premiers jours après l'achat

Vous avez enfin fait le saut: vous avez acheté un serin! Attention! les premiers jours de sa vie avec vous sont critiques. Cet oiseau intimidé qui saute nerveusement d'un perchoir à l'autre, qui vous regarde du coin de l'œil dans sa cage en observant tout un chacun, est profondément intelligent et sensible: il sera marqué par tous les nouveaux événements. Laissez à votre serin le temps de s'adapter. Ne tentez pas de l'apprivoiser immédiatement. Remettez à plus tard les changements alimentaires et surveillez-le étroitement. Ne le sortez pas de la cage avant une semaine et ne lui donnez pas de bain au cours des deux premières semaines. Tenez-le loin des autres animaux et de tout ce qui pourrait l'effrayer.

Plusieurs serins refusent de s'alimenter pendant les premières 24 heures si le nouveau milieu est trop stressant. Dans ce cas, couvrez trois côtés de la cage, mettez l'oiseau dans une pièce isolée tout en lui laissant une vue sur son environnement (une chambre donnant sur la cuisine est idéale) et offrez-lui du millet en grappe. Si l'anorexie persiste plus de 24 heures, communiquez avec un vétérinaire, car l'oiseau pourrait en mourir. Si vous avez acheté l'oiseau chez un éleveur et si quelque chose cloche dans les jours suivant l'achat, n'hésitez pas à communiquer avec celui-ci. Son avis et ses conseils sont très précieux.

Chant et garantie de chant

Plusieurs boutiques d'animaux et certains éleveurs vous remettront, à l'achat de votre canari, une garantie écrite que celui-ci chante. Ne vous contentez pas d'une garantie verbale; exigez une garantie écrite à moins que vous ne connaissiez très bien le vendeur. En général, cette garantie, de un à trois mois, vous permet d'échanger l'oiseau si vous n'êtes pas satisfait de ses performances vocales.

Malheureusement, il est de plus en plus difficile d'obtenir ce genre de protection puisque certains consommateurs abusent de la situation et échangent jusqu'à trois ou quatre fois leur serin en disant qu'il chante faux. La garantie ne peut donc être une condition *sine qua non* d'achat. Néanmoins, si elle vous est offerte, elle peut vous éviter de vous retrouver avec un oiseau aphone.

CONSEILS

- Même si on vous donne une garantie, assurez-vous d'entendre le canari chanter à la boutique d'animaux avant de l'acheter. Ce petit oiseau très attachant aura tôt fait de gagner votre cœur et comme beaucoup d'autres gens, il vous en coûtera de l'échanger comme une simple marchandise même s'il est muet comme une carpe.
- Soyez patient; certains serins timides ne chantent pas immédiatement dans un nouvel environnement. Laissez à votre nouveau

---

compagnon au moins trois semaines pour faire preuve de ses talents.

- Si votre oiseau est malade, ne prétextez pas que son chant laisse à désirer pour le retourner à la boutique d'animaux. Il pourrait contaminer beaucoup d'autres de ses congénères et risque en plus de mourir, faute de soins adéquats.
- Si votre canari ne chante pas après quelques semaines, suivez les quelques conseils de la page 35 avant de l'échanger.
- Ne soyez pas trop exigeant sur la qualité du chant, à moins que vous n'ayez acheté un spécimen de race reconnue pour son chant exceptionnel (un «Roller» allemand, par exemple).

Le chant

Même si Dame nature avait donné au canari une apparence physique repoussante (ce qui heureusement n'est pas le cas!), il saurait gagner bien des cœurs avec son chant merveilleux. Sa voix mélodieuse charme l'ouïe et repose l'âme, et cette joie de vivre peut remplir une maison de bonheur. Gardez-vous cependant de ne l'aimer que pour son chant. Le canari est un petit être fragile, vivant et adorable, chanteur ou pas! Comme pour les humains, la voix chez le canari est unique et varie donc d'un individu à l'autre. Certaines races de canaris, spécialement sélectionnées depuis des générations pour la qualité du répertoire vocal de leurs spécimens, ont donc de meilleurs chanteurs que d'autres. Parfois plus coûteux et plus vulnérables aux maladies, ces serins feront la joie des connaisseurs, entre autres le Rouleur allemand (Harzer) ou «Roller», le Malinois et le Timbrano.

C'est en écoutant des virtuoses tels que les rossignols et les alouettes que certains canaris auraient à l'origine appris à développer leurs talents de chanteurs. De plus, les échanges d'oiseaux entre éleveurs ont permis à beaucoup de canaris d'étendre considérablement leur répertoire vocal. Certains Rollers peuvent chanter jusqu'à 32 strophes musicales différentes!

C'est surtout en Europe qu'existe l'art d'enseigner le chant aux canaris: on y trouve oiseau professeur, «serinette» (instrument imitant certaines parties du chant), flûte, disques, cassettes, etc. Tous les canaris de chant ont en effet la capacité d'apprendre à chanter et à se perfectionner, compte tenu de leur potentiel génétique. Il semble que la meilleure école musicale pour le serin soit d'écouter dès la sortie du nid un oiseau virtuose dit «maître de chant».

Des concours de chant où les oiseaux sont jugés selon des critères très précis sont organisés plusieurs fois par année. Le registre de certains canaris est impressionnant et peut s'étendre sur plus de trois octaves! La succession de sons et de syllabes sonores forme le «tour de chant» de l'oiseau. Lors des concours, le tour de chant est analysé et divisé en strophes à partir desquelles l'oiseau est jugé. Seuls les experts sont en mesure de reconnaître les différents sons émis par un serin et de les classifier. Il y a, entre autres, le son de cloche, la roulée, la grognée, la flûte, le gloussement d'eau et la tintée. La plénitude des tons, leur douceur, leur harmonie et l'effet général sont analysés. Voici, par exemple, la notation qu'un juge pourrait donner à votre petit serin à l'occasion d'un concours de chant:

Bonnes notes	Mauvaises notes
• Roulée profonde (1 à 9 points) • Grognée (1 à 9 points) • Roulée de clapotis (1 à 9 points) • Gargouillis (1 à 6 points) • Roulée scandée (berceuse) (1 à 6 points) • Tintée profonde (1 à 6 points) • Glou (1 à 3 points) • Flûte basse (1 à 3 points)	• Son nasillard (1 à 3 points) • Aspiration (1 à 3 points) • Zézaiement dur (1 à 3 points) • Flûte imparfaite (1 à 3 points) • Tintée imparfaite (1 à 3 points) • Roulée imparfaite (1 à 3 points) • Glou imparfait (1 à 3 points)
Note maximale: 30 points	

Canari saxon

Couple de Norwich huppés
Canari à facteur rouge: variété rouge orangé (page suivante)

Couple de canaris frisés

Cette notation n'est donnée qu'à titre indicatif puisqu'elle varie selon la race de votre protégé. On définit, par exemple, la «grognée» comme «une roulade nerveuse qui donne l'impression, étant chantée, que l'oiseau grogne». Chaque strophe est soigneusement décrite. Toutes ces subtilités ne devraient pas vous intimider. Votre serin est un bon chanteur dans la mesure où il vous plaît et plaît à votre famille. En fait, seuls les connaisseurs apprécient de tels raffinements et bien des profanes préfèrent le chant puissant du canari commun aux roulades mélodieuses mais discrètes du Harzer (Rouleur allemand). Voici les caractéristiques de chant des trois principales races de serins chanteurs:

1. Le Harzer (ou canari Harz) ou Rouleur allemand (ou Roller): chant très varié constitué de roulades de gorge, aussi très doux et mélodieux, bec fermé.

2. Le Malinois: son répertoire de chant, qui ressemble à des «sons d'eau», rappelle vaguement celui du rossignol; il a un chant harmonieux, cristallin et très varié, puissant sans être envahissant.

3. Le Timbrado: chant riche en notes claires, puissant, métallique, sans notes roulées, rappelant plutôt le son de castagnettes.

Mais que votre oiseau soit un «Caruso» ou un petit chanteur sans prétention, vous seriez tout aussi déçu s'il devenait aphone...

Mon serin ne chante plus. Que faire?

Parfois, un serin ne chante plus du tout. Malheureusement, il n'y a pas de recette miracle à ce problème aux causes complexes qui désespère plus d'un propriétaire de serin. Posez-vous d'abord les questions suivantes.

1. *Mon oiseau a-t-il vraiment chanté auparavant? a-t-il poussé de vrais roucoulements? ou n'a-t-il fait que piailler?*
Vous êtes peut-être l'heureux propriétaire d'une serine en santé! Bien que certaines serines soient d'*excellentes chanteuses*, elles sont l'exception qui confirme la règle. Demandez à l'éleveur ou au vétérinaire de confirmer le sexe de votre oiseau (voir p. 21*)*.

2. *Est-il en période de mue?*
Pendant la mue (voir p. 37), la plupart des canaris diminuent la fréquence et la force de leur chant. Certains vont même jusqu'à ne plus émettre un son durant quelques semaines. Cela n'est pas anormal, car un oiseau en mue ne veut surtout pas attirer l'attention: il se sent bien trop imparfait pour espérer charmer une femelle et trop fragile pour échapper aux prédateurs. Attendez donc la fin de la mue avant de vous inquiéter.

3. *Certains facteurs environnementaux auraient-ils pu entrer en jeu?*
Consultez le tableau de la page 35 et demandez-vous quels changements pourraient rendre votre oiseau plus heureux. Apportez une attention toute particulière à l'alimentation qui doit être équilibrée et saine.

4. *Une maladie quelconque pourrait-elle affaiblir mon oiseau et l'empêcher de chanter?*
En effet, seul un serin en bonne santé exprime sa joie de vivre en chantant.

Les oiseaux dissimulent très habilement leurs maladies. Un changement sans raison dans le chant de votre canari peut être un indicateur précoce d'une maladie grave. Si cela se produit, redoublez d'attention et observez-le de près. Prenez note des comportements suivants:

Facteurs qui stimulent le chant	Facteurs qui inhibent le chant
• Excellente santé; • Diète variée, beaucoup de verdure, de fruits et de légumes avec un supplément adéquat de vitamines et de minéraux; • Bruit de l'eau qui coule; • Musique douce (beaucoup de serins aiment Mozart!), conversation posée; • Soleil, vue sur l'extérieur, audition du chant des oiseaux sauvages, animation modérée; • Canaris dans une autre cage; • Environnement calme, apaisant, vie routinière; • Maturité sexuelle, période de reproduction; • Sexe du serin: les mâles sont plus enclins à chanter (90 p. 100 des serins mâles chantent).	• Maladie, mauvaise condition physique, embonpoint, maigreur, parasitose; • Malnutrition, diète composée uniquement de graines, manque de fruits et de légumes frais; • Carence en vitamines et en minéraux; • Bruits discordants, musique forte, cris et bruits de moteurs stridents; • Noirceur, cage couverte, manque de stimuli, ennui, pièce trop isolée, animation extrême, cage malpropre; • Autre canari dans la même cage; • Environnement stressant, présence d'autres animaux: chat, chien; enfant bruyant et brusque, changement rapide des conditions environnementales (ex.: nouvelle cage, déménagement); • Oiseau trop jeune (moins de six mois) ou trop vieux; • Période de mue (deux à trois fois par an qui dure entre deux et quatre semaines); • Sexe du serin; seulement 5 à 10 p. 100 des serins femelles vont chanter, *mais* certains ont une excellente capacité vocale et feraient rougir plus d'un Pavarotti!

- Il est plus tranquille, moins alerte ou se montre au contraire hypernerveux.
- Il mange moins ou plus.
- Il garde son plumage hérissé ou gonflé.
- Il a changé de posture: il se tient écrasé sur ses perches ou perd l'équilibre.
- Il se gratte trop ou perd ses plumes anormalement.
- Il dort plus souvent.

L'un de ces comportements et d'autres (éternuements, diarrhée, respiration bruyante, vomissements, voix rauque) pourraient être les symptômes d'une maladie. L'arrêt du chant sans d'autres changements de comportement n'exclut pas la possibilité d'une maladie. N'hésitez pas à faire examiner votre oiseau par un vétérinaire s'il persiste dans son silence, surtout si celui-ci est accompagné de comportements inquiétants.

Si l'examen ne révèle rien d'anormal (l'examen physique doit parfois être complété par des examens de laboratoire, tels que des radiographies et des prises de sang, en cas de doute), le vétérinaire pourra rétablir le chant par des injections ou en prescrivant l'ingestion d'hormones. Il faut néanmoins traiter tout malaise en priorité et apporter au milieu de vie les changements qui s'imposent: améliorer l'alimentation, mieux adapter la cage, diminuer les facteurs de stress, etc. L'administration d'hormones au cours des périodes normales d'arrêt du chant, telles que la mue, est à proscrire. De plus, il ne s'agit pas d'un traitement miracle, et l'ajout d'hormones pourrait entraîner des effets secondaires importants. Seul un professionnel de la santé comme votre vétérinaire pourra vous conseiller à ce sujet.

CONSEILS

- Il existe des disques et cassettes reproduisant le chant des canaris sur un fond de musique classique; ce sont d'excellents stimulants.
- Le fait d'entendre et de voir chanter un autre serin dans une cage éloignée incitera le vôtre à imiter son congénère.
- Déplacez la cage pour que votre oiseau voie un coin ensoleillé du jardin où des oiseaux sauvages s'ébattent, ce qui pourrait l'amener à chanter.
- Parlez à votre serin, sifflez-lui des airs entraînants, gâtez-le, offrez-lui les fruits et les légumes qu'il préfère. Vous serez surpris de voir combien il aimera vos soins au point qu'il vous chantera la sérénade...
- Faites l'essai de graines pour le chant, de suppléments vitaminés et d'autres aliments conçus pour stimuler le chant pourvu que vous respectiez les conditions de base: bonne santé, alimentation saine, milieu agréable, soins attentifs. Cependant, n'abusez pas de ces produits. Un excès peut être aussi dommageable qu'une carence.
- N'hésitez pas à consulter un vétérinaire.

La mue normale

La mue, qui est le remplacement graduel des vieilles plumes par un nouveau plumage, est un phénomène normal et désirable.

En effet, votre oiseau perd ses plumes une à trois fois par année; il renouvelle sa garde-robe pour être frais, pimpant et tout de neuf vêtu! Normalement, la mue se produit au printemps (avril-mai) et à l'automne (août-septembre), elle dure de deux à quatre semaines pendant lesquelles vous devrez vous armer de patience et d'un bon aspirateur! Il est en effet étonnant de voir qu'un si petit oiseau puisse perdre autant de plumes...

Mais ne vous inquiétez pas:
- si votre oiseau reste actif et de bonne humeur même s'il ne chante plus ou beaucoup moins;
- s'il n'y a pas de zone dénudée malgré une perte abondante de plumes;
- s'il se gratte plus qu'à l'accoutumée mais sans exagérer; en fait, votre serin enlève avec son bec le cylindre de kératine (qui est la couche dure et transparente recouvrant chaque plume nouvelle);
- s'il mue une à trois fois par année. L'oiseau en captivité vit dans un milieu contrôlé par l'homme; la lumière et la température, qui sont très différentes de celles qu'il aurait connues dans son île natale, influencent la mue et sa fréquence. Certains événements peuvent provoquer une réaction émotive qui déclenche la mue: un déménagement, l'arrivée d'un nouvel animal, un choc, etc.

Durant la mue, même normale, certaines précautions s'imposent.
- Offrez à votre serin un environnement calme, stable et sécurisant (la mue comme telle est un stress pour lui et son système immunitaire est donc plus faible durant cette période: bien des maladies peuvent alors se déclarer).
- Évitez à tout prix les courants d'air et les variations de température. L'oiseau qui mue a un plumage moins fourni et est beaucoup plus sensible au froid.
- Assurez-vous que son alimentation est optimale et qu'il reçoit des suppléments de vitamines et de minéraux tous les jours. Si la perte des plumes est abondante, aidez votre oiseau en augmentant sa dose habituelle de vitamines. Vous pouvez lui offrir aussi des graines pour la mue et des suppléments «contre la mue» qui ne sont toutefois pas essentiels, s'il a déjà une alimentation équilibrée.

En ce qui concerne les serins orangés, dont la couleur rouge s'avive avec un surplus de carotène ou d'acantoxanthine alimentaire, la période de la mue est la seule indiquée pour leur offrir des graines ou des suppléments colorants, car l'aspect de leur plumage ne peut changer qu'au moment de la croissance des plumes. Mais soyez prudent et ne dépassez jamais la dose recommandée; dès que la mue s'arrête, cessez de donner des suppléments de carotène. Certaines maladies du foie peuvent être causées par ces colorants, s'il y a surconsommation. (Voir p. 18: Le canari à facteur rouge.)

Anatomie de l'oiseau normal

Certains termes anatomiques sont particuliers aux oiseaux et peuvent être déconcertants pour le néophyte.

Voici deux schémas pour vous aider à mieux comprendre votre serin.

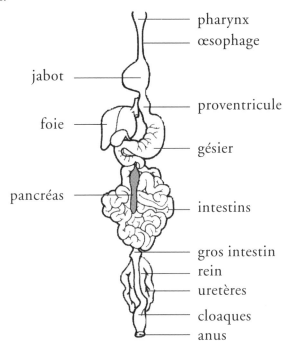

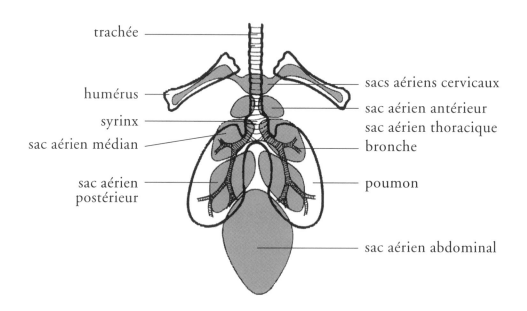

trachée

humérus

syrinx

sac aérien médian

sac aérien
postérieur

sacs aériens cervicaux

sac aérien antérieur

sac aérien thoracique

bronche

poumon

sac aérien abdominal

L'alimentation

Une alimentation saine est la clef d'une bonne santé, dit-on, mais cela est particulièrement vrai pour les oiseaux puisqu'ils ont un métabolisme très rapide: un serin peut littéralement «mourir de faim» en 24 heures s'il est privé de nourriture! Vous n'avez pas, bien sûr, l'intention d'affamer votre oiseau mais vous pourriez, involontairement, lui donner une alimentation déséquilibrée. C'est d'ailleurs la principale cause de maladies et de décès chez les serins vivant en captivité.

Que doit donc manger votre serin pour atteindre les 12 à 14 ans de longévité que la nature lui alloue? Une règle d'or très simple s'applique:

Offrez à l'oiseau des graines de bonne qualité
Qui, du régime total, représentent la moitié
Ajoutez un quart de fruits et de légumes variés
Et, oui! pourquoi pas? Un quart de votre assiettée!

Très simple, trop simple? Voyons donc cette règle en détail.

Les graines

Le serin est principalement un granivore. Une partie importante de son régime alimentaire se compose donc de graminées.

Il existe cependant une grande variété de graines: certaines sont plus nutritives que d'autres et contiennent des éléments particuliers; on devrait donc toujours présenter les graines en mélange pour offrir à l'oiseau le plus de variétés possibles.

Un bon mélange doit se composer d'au moins *cinq* sortes de graines. Les plus appréciées sont les graines de canari, l'alpiste, le lin, le gruau d'avoine, le millet, le niger, les cœurs de tournesol, le colza et le chanvre. Un mélange enrichi de vitamines et de minéraux est aussi à conseiller. Choisissez un fournisseur reconnu et fiable.

Évitez les mélanges qui ne contiennent que deux ou trois variétés. Contrairement à une croyance populaire, les animaux domestiques ne savent pas instinctivement ce qui est bon pour eux. Tel un enfant qui se gave de sucreries, votre serin peut prendre goût à une ou deux sortes de graines. À long terme, il n'aura pas de caries, bien sûr, car il n'a pas de dents, mais cela pourrait lui occasionner d'autres problèmes bien plus graves: maladie du foie ou du cœur, embonpoint, etc.

Le serin, c'est le cas de le dire, a un appétit d'oiseau, alors ne risquez pas sa santé pour économiser quelques sous! Même s'ils sont économiques, les mélanges «pour oiseaux sauvages» sont insuffisants car votre serin ne peut pas, comme les oiseaux en liberté, compléter son alimentation en se nourrissant de baies, de fruits, de vers et d'insectes. Par ailleurs, si vous constituez vous-même votre mélange à partir de graines en vrac, vous pouvez faire des erreurs en donnant à votre oiseau trop ou trop peu de certaines graines, des mélanges mal équilibrés ou trop riches. Souvent, les graines en vrac qui sont laissées sans couvercle à la température ambiante pendant plusieurs mois peuvent en plus être contaminées par des spores ou des bactéries.

Conseils

- Conservez la nourriture de votre oiseau au réfrigérateur, dans un pot hermétiquement fermé. Pourquoi? Parce que la plupart des mélanges de graines ne contiennent pas d'insecticides, qui pourraient nuire à la santé de votre oiseau. Or, par temps chaud, de petites larves peuvent s'y développer et se transformer ensuite en papillons. Ces parasites ne sont pas dangereux pour votre serin, mais ils peuvent envahir votre maison.
- Brassez le mélange de graines et sentez-le. S'il vous pique le nez ou vous fait éternuer, il est trop poussiéreux et devrait être jeté. Le système respiratoire de l'oiseau, qui est beaucoup plus sensible que le nôtre aux irritants, peut être gravement atteint par de tels mélanges.
- Lorsqu'un mélange est couvert de mousse blanchâtre, cela indique une contamination par des moisissures qui peut être mortelle pour votre serin. Soyez attentif!
- Les mélanges «vitaminés» sont de meilleure qualité mais plus chers, il va sans dire. Cependant, dans la plupart des cas, les vitamines ont été ajoutées *à l'extérieur* des graines et votre serin ne mange que *l'intérieur*. Il absorbera, bien sûr, une certaine quantité de vitamines en ouvrant la graine mais cela ne lui suffit pas. Il est donc nécessaire de lui donner un supplément de vitamines. Quoi qu'en dise l'étiquette du fabricant, il n'existe pas de mélanges de graines *«complets»*, avec lesquels vous pourriez nourrir votre oiseau pendant une longue période sans provoquer de carences alimentaires.
- Les serins aiment beaucoup les biscuits aux œufs, qui ont le défaut d'être très riches en cholestérol. Nous conseillons donc d'en offrir une fois par semaine seulement et de vous en abstenir si le serin fait de l'embonpoint.
- Les bâtons de miel sont des gâteries. N'en donnez à l'oiseau qu'une ou deux fois par mois.

- Vous devez changer les graines tous les jours ou, à tout le moins, éliminer les écailles ouvertes qui s'accumulent dans l'auget. Sinon, vous pourriez croire que l'oiseau a encore de la nourriture à sa disposition alors qu'il ne lui reste que des graines évidées. Certains oiseaux ne fouillent pas jusqu'au fond de l'auget et peuvent mourir de faim.

Les fruits et les légumes

Il est conseillé d'offrir au serin des fruits et des légumes frais tous les jours, car ils constituent une excellente source de vitamines. Les fientes d'un serin qui mange beaucoup de verdure ont une consistance plus liquide que celles d'un serin se nourrissant uniquement de graines; il ne faudrait pas croire cependant qu'il souffre de diarrhée.

Certains fruits et légumes ont une valeur alimentaire supérieure à d'autres. La laitue Iceberg (laitue batavia américaine) n'est pas recommandée; elle ne contient que de l'eau et des fibres et n'apporte guère d'éléments nutritifs réels. Par contre, les légumes vert foncé sont une excellente source de vitamine A (en quantité très insuffisante dans les graines).

Légumes: nous recommandons les épinards, les feuilles de céleri, le brocoli, le poivron, le chou, les carottes, la luzerne, le cresson et les laitues vert foncé.

À éviter: l'avocat (trop riche en gras), le persil, les feuilles de betterave, les pommes de terre crues (elles peuvent être toxiques... qui voudrait risquer la vie de son serin pour le vérifier?).

Fruits: nous recommandons les pommes, les oranges, les poires, les raisins, les bananes et les fruits tropicaux.

À éviter: les noyaux de tous les fruits. Certains serins digèrent difficilement les fruits acides, tels que les agrumes ou les pommes vertes; ne donnez que de petites quantités à votre oiseau et cessez s'il les régurgite.

CONSEILS

- Lavez soigneusement tous les fruits et légumes avant de les présenter à votre oiseau pour enlever les bactéries, les moisissures et les insecticides qu'ils pourraient receler.
- Ne lui donnez pas d'aliments dont vous ne voudriez pas (légumes avariés ou fanés, fruits piqués par les vers, etc.).
- Il est normal que votre serin déchiquette les aliments d'origine végétale et qu'il semble en gaspiller plus qu'il n'en avale. Ne vous découragez pas, il absorbe tout de même une certaine quantité d'éléments nutritifs et, en plus, cela l'occupe et l'amuse.
- Offrez-lui des fruits et des légumes séchés ou cuits. Même si leur valeur nutritive est moindre que celle des aliments frais, ils peuvent constituer un substitut très intéressant, voire indispensable, pour certains sujets capricieux qui refusent les aliments trop mous ou trop durs.
- Certains aliments fortement pigmentés colorent les fientes. Un serin qui, par exemple, a mangé des betteraves ou des fraises aura des selles rouges pendant quelques heures… c'est normal!

La nourriture de table

Partager votre repas avec votre serin est une excellente façon de varier son menu. «Ce **qui est bon pour vous est bon pour votre oiseau**»; si vous partagez des plats avec lui, ne lui donnez que ceux ayant une bonne valeur nutritive! Votre serin peut donc manger une bouchée de pizza, d'omelette au fromage ou même de poulet bien cuit. Évitez l'alcool, les sucreries et le gras. Les œufs et les produits laitiers (fromage, etc.) sont une excellente source de protéines animales. Faites attention aux problèmes d'embonpoint et de foie. Ne servez à votre serin des œufs et du fromage qu'une ou deux fois par semaine, sauf dans le cas d'une femelle pondeuse.

CONSEILS

- Ne nourrissez pas votre serin directement de votre bouche ou avec des aliments qui ont été en contact avec votre salive. Vous pourriez lui transmettre certaines maladies.
- Le chocolat, les mets trop gras, trop sucrés ou trop salés sont à bannir.
- Si votre oiseau souffre d'embonpoint, évitez les pâtes, les pommes de terre, les biscuits, le beurre et les aliments trop riches. Le pain appartient au même groupe alimentaire que les graines. Même si votre oiseau peut en manger tous les jours, le pain ne remplace pas pour autant les autres éléments nutritifs. Préférez le pain de blé entier au pain blanc ou au pain croûté, car sa valeur alimentaire est supérieure. Le serin raffole aussi des biscottes et des biscuits secs. Vous pouvez lui en donner sans problème.
- Mettez la nourriture de table dans un auget différent de celui où vous placez les graines, sur une pince spéciale ou entre les barreaux. Les graines se conservent longtemps, tandis que les autres aliments devraient être enlevés et jetés après quelques heures, s'ils ne sont pas consommés.
- Ne mettez jamais de nourriture au fond de la cage, car elle sera vite contaminée par les fientes de votre oiseau.

Les moulées

Depuis quelques années, on trouve sur le marché des moulées pour les serins et d'autres oiseaux. Elles ressemblent aux moulées pour rongeurs (petits grains de forme cylindrique) ou se présentent en granules à peine plus volumineux qu'une graine. Certaines de ces moulées sont complètes, c'est-à-dire que chaque bouchée contient tous les éléments nutritifs indispensables à la santé de l'oiseau.

Elles peuvent donc constituer l'aliment unique de votre serin, sans que vous ayez besoin de lui fournir aussi des vitamines, des minéraux, de la nourriture de table, etc. **Mais attention**... les moulées peuvent être de qualité inégale; certaines se sont même révélées toxiques après quelques mois de consommation parce qu'elles étaient mal équilibrées.

Le principal inconvénient des moulées vient de ce que certains oiseaux refusent de les consommer s'ils n'y ont pas été habitués tout jeunes. Un serin peut être têtu et se laisser dépérir s'il n'aime pas sa nourriture. Essayez donc de diminuer graduellement la quantité de graines tout en ajoutant une quantité de plus en plus grande de moulée dans l'auget. Avant d'éliminer les graines, assurez-vous cependant que votre serin consomme vraiment sa moulée.

CONSEILS

- Depuis quelques années, les moulées ont connu un véritable essor et il existe maintenant des dizaines de produits différents. Si votre oiseau refuse un certain type de moulée, essayez une autre marque. À notre avis, dans un proche avenir, de plus en plus d'oiseaux seront nourris avec une moulée équilibrée dès leur jeune âge, ce qui sera très bénéfique à leur santé. La moulée est donc conseillée pour tous les oiseaux, surtout pour ceux qui refusent de consommer des fruits, des légumes et des aliments de table.
- Achetez uniquement une moulée recommandée par les vétérinaires et les aviculteurs (éleveurs d'oiseaux) de votre région. Exigez

qu'on vous fournisse la liste des aliments qu'elle contient et de leur teneur en vitamines et en minéraux. Si le fabricant ne peut vous fournir cette liste, n'en achetez pas.

- Offrez tout de même à votre serin une petite quantité de fruits et de légumes frais à tous les jours pour varier son menu et l'occuper.
- Certaines moulées sont spécialement préparées pour les oiseaux en croissance, en période de reproduction ou de stress. Ne les utilisez qu'en cas de besoin, car un excès d'éléments nutritifs peut être tout aussi nocif qu'une carence.

Les liquides

Même si le serin ne consomme qu'une quantité minime de liquides (0,3 à 1 ml par jour), **il ne peut survivre sans eau.** Un oiseau qui se nourrit uniquement de moulée ou de graines boit plus que celui qui mange une grande quantité d'aliments riches en eau, tels que les fruits et les légumes. C'est normal. L'eau devrait toujours être fraîche, propre et d'un accès facile pour l'oiseau.

Il a été constaté que la fréquence des cancers du rein est très élevée chez le serin et la perruche. Même si aucune étude n'a été réalisée pour déterminer la cause exacte de cette maladie, certains produits toxiques (en quantités très faibles pour les humains) dont la présence dans l'eau du robinet est bien connue sont peut-être cancérigènes. Nous vous conseillons donc de donner à votre oiseau de l'eau purifiée ou de source.

CONSEILS

- Faites couler l'eau du robinet une ou deux minutes avant d'en remplir l'auget. Cela élimine les bactéries qui peuvent se développer dans la tuyauterie.
- L'eau minéralisée peut causer des problèmes de santé à long terme. Elle contient du plomb et de l'arsenic en quantité certes négligeable pour nous, mais qui peuvent être toxiques pour le serin. Par contre, l'eau de source est sans danger si elle est exempte de plomb et d'arsenic (vérifiez l'étiquette).
- Votre oiseau peut aussi boire du lait, ainsi que des jus de fruits et de légumes qui sont une bonne source de vitamines. Certains serins en raffolent.
- Le café, le thé et l'alcool sont à éviter *absolument*. Ne croyez pas ce que vous diront certains amateurs d'animaux: une rasade de cognac ne guérira pas votre serin s'il est malade… ni vous non plus!

Les suppléments de vitamines et de minéraux

Si vous ne pouvez offrir à votre serin une moulée équilibrée, vous devrez ajouter à son régime des vitamines et des minéraux même s'il a une alimentation variée. Une foule de produits existent; voici des conseils qui vous aideront à choisir les meilleurs.

CONSEILS

- Recherchez les suppléments à composantes multiples… la vitamine B12 est certes nécessaire, mais elle n'est pas la seule! Mélanger trois ou quatre produits les rend souvent moins efficaces et demande beaucoup de temps.
- Les vitamines qui manquent le plus dans les graines sont les suivantes: A, B12, C, D3 et K; les minéraux: le calcium, le zinc et l'iode. L'iode est un minéral essentiel pour votre serin et le supplément que vous choisirez doit absolument en contenir. Achetez un produit dont l'étiquette expose la quantité exacte de ses différentes composantes. Si l'étiquette indique simplement «supplément vitaminé», vous pouvez conclure que le fabricant ne connaît pas exactement la teneur des ingrédients ou qu'il préfère ne pas la connaître. Quoi qu'il en soit, le produit est probablement de piètre qualité.
- Vous pouvez ajouter les suppléments à l'eau, aux graines ou à la nourriture préférée de l'oiseau. Choisissez la recette qui incitera votre serin à en consommer la plus grande quantité. Si votre serin refuse tout sauf les graines, ajoutez les suppléments à son eau; il ne peut pas se passer de boire. S'il aime bien les fruits, donnez-lui les vitamines et les minéraux avec un morceau de pomme ou de raisin.
- Le serin absorbe mieux les minéraux si ceux-ci ne sont pas combinés aux vitamines. Il est recommandé de donner les vitamines et les minéraux en les alternant d'un jour à l'autre. Les suppléments de minéraux, même s'ils sont souvent négligés, ont autant d'importance que les suppléments de vitamines. La femelle en période de ponte est spécialement vulnérable aux problèmes secondaires provoqués par une carence en calcium; l'apport en minéraux dans son régime alimentaire devrait donc être élevé.

Les autres aliments

Les rayons des oiseaux dans les boutiques d'animaux sont remplis d'une foule d'articles allant du meilleur au pire. Vous y trouverez des antibiotiques, des barbituriques, des produits antipicage (souvent à base d'ingrédients toxiques), des graines de plus ou moins bonne qualité (à ce chapitre, vous en avez souvent «pour votre argent»), des jouets, des suppléments et bien d'autres choses encore!

Certains de ces produits sont réellement utiles, mais d'autres se révèlent superflus sinon carrément dangereux. Rappelez-vous que la publicité qui entoure un produit ne garantit pas qu'il est utile et non toxique… En Amérique du Nord, on vend des cigarettes en pharmacie même si elles sont nocives!

CONSEILS

- Donnez des sucreries à votre serin *à l'occasion* (bâton ou cloche au miel, gâteau). Elles ne lui causeront aucun tort, mais n'en abusez pas… une fois toutes les deux semaines, c'est suffisant.
- Un serin en bonne santé use son bec normalement par les simples va-et-vient qu'il fait pour se nourrir, se nettoyer et chanter. Les pierres volcaniques, les os de seiche et les blocs minéraux ne sont pas essentiels pour le bec. Toutefois, les blocs minéraux et les os de seiche constituent une bonne source de calcium pour son organisme. Les pierres volcaniques sont à éviter parce qu'elles sont considérées comme du gravier (voir ci-après). Il existe pour les serins des blocs minéraux iodés qui, en plus de fournir une source de calcium, sont aussi enrichis d'iode. De couleur rose, ils sont préférables aux blocs blancs ou à l'os de seiche, car ils sont plus complets.

- Les antibiotiques, les produits antipicage, les vermifuges et autres médicaments vendus dans les boutiques d'animaux sont fortement déconseillés. S'il est déjà difficile de traiter un être humain souvent en mesure d'expliquer ses malaises et d'identifier la source de son mal, ce l'est encore plus pour un oiseau, qui est maître dans l'art de dissimuler ses symptômes et muet quant à ses problèmes. Ce travail est uniquement du ressort du vétérinaire. Utiliser des médicaments «contre le rhume» ou «la diarrhée» ne fait souvent que retarder votre visite chez le vétérinaire, sans le guérir, sans compter que l'état de l'oiseau s'aggrave pendant ce temps.

- Le charbon n'est d'aucune utilité. Il est censé absorber les toxines alimentaires, mais un régime équilibré ne devrait surtout pas être toxique! En réalité, le charbon diminue l'absorption de plusieurs vitamines essentielles.

- Le gravier est un accessoire controversé. Jusqu'à tout récemment, nos connaissances sur les serins se fondaient sur ce que nous savions des poules! Il est vrai que les poules et les pigeons avalent leurs graines sans les écaler et que l'apport de gravier les aide à mieux digérer, mais votre serin décortique les graines avant de les avaler, ce qui est très différent. Récemment, nous avons même vu (depuis que les moyens d'établir un diagnostic se sont améliorés) de nombreux cas de blocage intestinal causé par une surconsommation de gravier. Cet accident est souvent fatal pour l'oiseau.

On n'a jamais pu *prouver* que le manque de gravier pouvait amener des problèmes, mais il existe des radiographies très concluantes montrant des oiseaux dont le système digestif est obstrué par le gravier.

À ce propos, l'AAV (Association of Avian Veterinarians), un organisme international regroupant des centaines de vétérinaires et autres intervenants qui travaillent auprès des oiseaux de compagnie (et non des poules!), recommande officiellement de ne pas utiliser de gravier sinon très parcimonieusement. Il faut donc *déconseiller l'utilisation du gravier pour des raisons médicales.*

- *Les écailles d'huîtres ou d'autres coquillages,* parfois appelées «gravier anisé» ou «gravier marin» par certains fabricants, sont d'excellentes sources de calcium. Elles peuvent aider à la digestion sans entraîner de blocages puisqu'elles sont rapidement digérées par l'organisme. Le serin femelle est plus enclin à souffrir de carences en calcium, aussi est-il bon de lui en fournir régulièrement.

- Ne déposez pas les écailles, les suppléments de calcium ni d'autres aliments dans le fond de la cage. Considérez le fond de la cage comme les toilettes de votre oiseau. Vous ne voudriez surtout pas qu'il y consomme des aliments contaminés! Vous pouvez servir les écailles d'huîtres dans un auget spécialement réservé à cette fin ou encore saupoudrer une pincée d'écailles sur ses graines tous les jours.

Le serin capricieux

Les pages précédentes vous ont expliqué comment bien nourrir votre serin. Vous savez maintenant ce qui est bon pour lui… Malheureusement, votre serin peut souvent refuser obstinément toute nouvelle nourriture, surtout si elle est bonne pour sa santé. Voici ce que vous devez faire.

- Offrez à votre petit capricieux un élément qui ressemble à ce qu'il consomme déjà, par exemple, des graines de millet germées ou de la luzerne fraîche, s'il les aime.

- Soyez patient. Redonnez-lui, jour après jour, de la nourriture de table même s'il est effrayé le premier mois, détestable le deuxième mois (il jette toute la nourriture par terre) et indifférent le troisième... Peut-être en mangera-t-il six mois plus tard!

- Diminuez la quantité de graines offertes: il sera alors plus tenté par d'autres aliments. Assurez-vous cependant qu'il ne maigrit pas exagérément et qu'il ne couve pas de maladie.

Le toilettage

Un serin peut, comme un chien ou un chat, recevoir des soins de beauté, qui ne doivent surtout pas être considérés comme superflus. Vous pouvez prodiguer vous-même certains de ces soins, à la maison, surtout si votre oiseau est calme, si vous êtes habile et pouvez le manipuler délicatement. Si vous préférez ne pas vous lancer dans le toilettage, consultez une personne compétente, de préférence un vétérinaire ou le propriétaire d'une boutique d'animaux réputée.

La coupe de griffes

La longueur normale des griffes devrait être d'un quart de cercle ou moins. Un serin ayant des griffes plus longues peut rester accroché dans les perchoirs, les vêtements ou les jouets, causer des accidents ou, à long terme, souffrir de difformités aux pattes. Si l'oiseau a des griffes trop courtes, il ne pourra pas s'agripper convenablement. La plupart des serins doivent se faire couper les griffes trois à six fois par année.

Les serins ont habituellement des griffes blanches qui laissent voir la veine qu'elles contiennent. Il est donc rare que les griffes saignent au moment de la coupe. La personne expérimentée qui effectue la coupe doit cependant disposer de tout ce qui est nécessaire pour bien réagir si un tel incident survenait. Si vous voulez tailler vous-même les griffes, assurez-vous d'avoir sous la main un produit coagulant (vendu dans les boutiques d'animaux) pour arrêter une hémorragie éventuelle. Il vaut mieux couper les griffes plus souvent pour éviter qu'elles ne saignent chaque fois. (Comme la veine allonge avec les griffes, des coupes fréquentes diminueront sa longueur et donc les risques de saignement.)

La coupe du bec

Il est anormal d'avoir à couper le bec d'un serin, sauf:
- si l'oiseau souffre d'une difformité congénitale (bec croche, en ciseau ou asymétrique);
- si l'oiseau a déjà eu une fracture du bec.

Dans tous les autres cas, l'oiseau devrait être examiné par un vétérinaire s'il devenait nécessaire de lui faire tailler le bec. L'allongement excessif du bec peut en effet cacher un trouble plus grave: maladie de foie, maladie chronique débilitante, carence en calcium, etc.

La couche cornée du bec recouvre une structure hautement vascularisée (qui peut donc saigner facilement). Une coupe de bec devrait toujours être faite par un vétérinaire.

Si votre serin a besoin d'une coupe de bec, cela peut signifier qu'il est atteint de troubles très graves (cancer ou sinusite chronique).

Bec normal

Bec supérieur trop long;
dépasse le bec inférieur

La coupe de la bague

La bague que votre serin peut porter n'a d'autre utilité que d'aider l'éleveur à identifier ses oiseaux. Votre petit compagnon n'a absolument pas besoin de ce bracelet de métal ou de plastique qui peut le gêner, l'irriter ou même le blesser (voir p. 95).

Il serait bon de faire enlever la bague aussitôt que possible par quelqu'un de compétent. Cette opération délicate doit être effectuée très tôt après l'achat, ou lorsque l'oiseau sera mieux acclimaté ou plus calme. Souvent, la date de naissance de votre oiseau est inscrite sur la bague; notez-la soigneusement. Un serin peut vivre de douze à quatorze ans et votre mémoire pourrait vous trahir d'ici là!

Bains et soins du plumage

Votre oiseau doit avoir ce qu'il faut pour se baigner. On trouve divers modèles de baignoires dans les boutiques d'animaux. Choisissez-en une assez grande pour que votre serin puisse y entrer entièrement. Plusieurs baignoires ont un fond en miroir; elles plaisent à certains canaris mais en effraient d'autres. Il vaut mieux vous procurer d'abord une baignoire standard sans miroir et de couleur claire (blanche ou transparente), qui est l'une des préférées des serins.

Certains serins ne prennent pas de bain d'eux-mêmes mais apprécient une bonne douche. Utilisez une bouteille de plastique munie d'un vaporisateur manuel et remplissez-la d'eau. En été, vous pouvez «vaporiser» votre serin une fois par jour et, en hiver, deux ou trois fois par semaine.

Aspergez l'oiseau pour que son plumage soit saturé d'eau (plumes collées au corps) mais pas au point qu'il dégoutte. S'il y a le moindre courant d'air, ne donnez pas de bain. Le matin, présentez le bain à votre oiseau ou vaporisez-le: il sera sec le soir et pourra dormir sans prendre froid. La plupart des serins préfèrent une eau tiède-froide, qui soit propre et fraîchement changée.

Les produits de toilettage (savon, parfum, huile, lotion, tonique) ajoutés à l'eau du bain sont à éviter. Ils sont inutiles et peuvent même dans certains cas être dommageables.

La cage et les accessoires

Malheureusement, le mot «cage» est souvent utilisé dans un sens péjoratif: mettre un fauve en cage, une cage dorée… Il ne faut pas cependant que vous considériez la cage de votre serin comme une prison mais plutôt comme son foyer. C'est là que se trouvent sa salle à manger (les augets à nourriture), sa salle d'eau (son bain) et ses toilettes (le fond de la cage). La cage est aussi l'endroit où il peut se détendre en toute sécurité, entretenir son plumage et observer la vie de la maison; c'est enfin sa chambre à coucher (le soir, couvrez la cage et votre oiseau y dormira bien tranquille).

La cage est donc essentielle pour le bien-être de votre serin. Choisissez-la aussi grande que possible compte tenu de l'espace dont vous disposez. L'oiseau devrait pouvoir au moins ouvrir grandes ses deux ailes, sans toucher aux montants de la cage. Un serin adore sautiller d'un perchoir à l'autre, à la verticale et surtout à l'horizontale.

La cage doit être large et haute (plus large que haute, si l'espace est limité). Les barreaux, qui peuvent être à la verticale ou à l'horizontale, doivent cependant être très rapprochés pour éviter toute escapade. Les serins aiment beaucoup les balançoires. Si vous souhaitez que vos oiseaux se reproduisent, procurez-vous une cage large où le nid n'empiétera pas trop sur l'espace vital, ou une cage d'accouplement spécialement conçue à cette fin. Selon une fausse croyance, un serin gardé dans une grande cage chante peu ou pas du tout. C'est absolument faux. Dans les expositions et les concours de chant, les canaris sont bien sûr confinés à de très petites cages pour des raisons évidentes d'ordre pratique. Malheureusement, on a associé cette situation temporaire au fait que les petites cages stimuleraient les bons chanteurs. Un bon chanteur est et restera un bon chanteur, peu importe les dimensions de sa cage. Une cage trop étroite peut surtout prédisposer votre serin à l'obésité et à l'ennui, et lui enlever le goût de chanter.

Au contraire, si vous transférez un serin peu enclin à chanter dans une cage plus grande, vous pourriez être étonné de découvrir ses incroyables talents vocaux, car il pourrait vous manifester sa joie de ne plus être à l'étroit.

Le serin est cependant un petit oiseau nerveux et farouche. Au moment de se retrouver dans un nouvel environnement, il peut montrer une certaine frayeur et cesser de chanter. Couvrez trois côtés de sa nouvelle cage et laissez-le l'explorer. Quelques jours plus tard, vous verrez avec plaisir qu'il aura retrouvé sa bonne humeur et repris son train-train.

Si vous ne prévoyez pas faire sortir votre serin de sa cage, vous devriez acheter une très grande cage ou envisager de construire une volière (cage assez grande pour que l'oiseau puisse y voler à son aise).

CONSEILS

- Surveillez les annonces classées, les marchés aux puces et les ventes aux enchères. Vous pouvez parfois y trouver des cages d'excellente qualité à bas prix.
- Désinfectez toute nouvelle cage, peu importe d'où elle provient.
- Une cage abîmée ou rouillée peut être repeinte sans danger avec une peinture plastique non toxique. N'utilisez pas de peinture contenant du plomb; c'est un poison violent pour votre oiseau.
- Les cages pour perroquet ou pour cockatiel sont le plus souvent à déconseiller: elles ont parfois des barreaux beaucoup trop espacés et votre serin pourrait s'échapper.

Les perchoirs de cage

Un serin passe presque toute la journée sur ses perchoirs. Ils doivent être bien adaptés à son anatomie, sinon ils peuvent provoquer de nombreux problèmes, notamment des lésions aux pattes.

On recommande des perchoirs aux formes et au diamètre variés, pour que l'oiseau, en se perchant d'un endroit à l'autre, déplace son point de pression maximum, ce qui diminue le risque d'ulcération aux pattes.

pression maximum

pression maximum

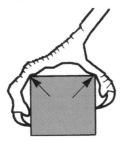 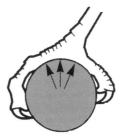

Les perchoirs en bois sont préférables aux perchoirs en plastique. Ils sont plus solides et moins glissants. Des bois durs comme l'érable et le merisier font d'excellents perchoirs indestructibles.

CONSEILS

- Vous pouvez acheter à la boutique d'animaux des perchoirs spécialement conçus pour votre oiseau. Vous pouvez aussi vous procurer en quincaillerie des goujons ou des planchettes de bois (non traité) et les adapter à votre cage, ce qui est moins coûteux.
- Des branches d'arbre bien désinfectées (lavées puis chauffées au four à 80 °C [176 °F], pendant 15 minutes) font d'excellents perchoirs. Utilisez des branches d'érable ou d'arbres fruitiers (sauf le cerisier). Évitez les branches de conifères.
- Les plus gros perchoirs pour perroquet ou cockatiel peuvent être utilisés pour offrir une plus grande variété à votre oiseau.
- Le «manzanita» (aussi appelé busserole), un bois indestructible provenant de la Californie, est idéal. Ses branches décoratives sont de forme et de diamètre variés.
- Les perchoirs en plastique, en forme de branches d'arbre, sont un bon compromis si vous ne trouvez pas de branches naturelles pouvant s'adapter à votre cage.

La couverture de la cage

Votre serin aura bien meilleure mine s'il peut profiter de dix heures de sommeil paisible par nuit. Son sommeil peut être facilement perturbé: la télévision en marche ou l'éclat soudain de phares de voiture peuvent l'incommoder. Vous avez donc avantage à couvrir la cage la nuit, surtout si vous êtes un couche-tard. La couverture empêche aussi que l'oiseau prenne froid; elle conserve la chaleur ambiante de la cage si la température de la pièce baisse de quelques degrés.

> **CONSEILS**
>
> - Utilisez une couverture opaque, pas trop chaude, en fibres naturelles (le coton est idéal), qui recouvre toute la surface de la cage.
> - Lavez régulièrement la couverture (au moins une fois par trois mois) avec un savon doux, non parfumé.

Les jouets

La plupart des serins n'aiment guère s'amuser avec des jouets. Ce petit oiseau se suffit sagement à lui-même pourvu qu'il ait une cage assez grande et une nourriture variée, et qu'il reçoive des soins attentifs. Toutefois, certains d'entre eux aiment les petits objets brillants et colorés; ils seront donc heureux s'ils ont de beaux jouets. Présentez donc des jouets à votre serin, cela pourrait l'intéresser. En règle générale, n'installez pas de miroirs; ils pourraient rendre votre serin agressif ou aphone. Plusieurs serins, surtout les femelles, passent des heures à s'amuser avec des brins de laine ou de jute naturelle non teinte; certains aiment les petits brins de foin ou de luzerne séchés, d'autres préfèrent des billes brillantes ou une petite cloche.

L'hygiène de la cage

Nous recommandons de changer le fond de la cage *tous les jours*. C'est un bon moyen pour savoir rapidement s'il y a un changement dans la consistance des fientes, pour y déceler la présence de sang, voir s'il y a des vomissures, une perte anormale de plumes ou une diminution d'appétit (moins de graines ouvertes au fond). Le plus pratique est de recouvrir le fond de la cage d'une couche de papier (journal, essuie-tout ou autre) que vous remplacerez tous les jours.

CONSEILS

- Évitez les copeaux de bois, la litière pour chats ou le sable, comme fond de cage. Ils coûtent trop cher pour qu'on se permette de les changer assez souvent et ils dégagent des poussières irritantes pour le système respiratoire de l'oiseau, ce qui le rend plus vulnérable aux infections.
- Même si l'encre pour papier journal contient du plomb, la quantité contenue dans une feuille est si minime qu'elle ne peut causer de tort à votre oiseau. Toutefois, elle peut tacher ses plumes s'il est de couleur pâle. En ce cas, évitez ce genre de papier.
- Certains serins éprouvent un malin plaisir à déchiqueter le papier au fond de la cage. Ce peut être par désœuvrement (déplacez la cage ou offrez-lui de nouveaux jouets) ou tout simplement parce que ce jeu les amuse. Les femelles en période de reproduction grignotent le papier déposé au fond de la cage, car elles cherchent à se faire un nid. C'est normal!
- Le papier de verre (papier sablé ou papier gravier) n'est d'aucune utilité: il coûte cher et peut bloquer le système digestif de l'oiseau qui en ingère. Découpez plutôt d'avance des feuilles de papier brun ou ciré et remplacez-les tous les jours. Une feuille d'essuie-tout peut aussi être utilisée.

Canari frisé blanc intense

Norwich huppé et frisé blanc

Gloster corona jaune intensif à huppe foncée

Canari saxon

Canari saxon jaune intensif et Gloster consort
Canari frisé (page suivante)

Les augets

Les augets devraient être particulièrement bien nettoyés. Les bactéries et les moisissures peuvent facilement s'y développer et contaminer votre oiseau lorsqu'il se nourrit. Changez l'eau tous les jours et rincez soigneusement le gobelet en le frottant pour éliminer les dépôts. Changez aussi les graines chaque jour. Si vous devez en jeter beaucoup, diminuez la ration quotidienne. N'oubliez pas que le serin ne mange que l'intérieur des graines et que l'accumulation d'écales vides dans l'auget peut vous faire croire à tort qu'il a encore suffisamment de nourriture.

Les perchoirs

Vous devriez récurer les perchoirs et les laver à l'eau bouillante aussitôt qu'ils sont souillés. Votre oiseau est fragile et les bactéries présentes sur des perchoirs sales peuvent le contaminer s'il a la moindre blessure aux pattes. N'utilisez pas de papier de verre pour recouvrir les perchoirs, car il est très irritant pour le dessous des pattes et n'a guère d'effet sur la longueur des griffes. Si votre oiseau utilise le papier de verre pour s'aiguiser le bec, vous pouvez en couvrir un demi-perchoir, c'est suffisant.

La cage elle-même

L'idéal serait de laver et de désinfecter la cage au moins toutes les deux semaines. La cage, les perchoirs, les jouets et les augets devraient tremper dans la baignoire ou un grand lavabo pendant 15 minutes au moins, dans une solution désinfectante comme de l'eau de Javel diluée (une partie d'eau de Javel dans 30 parties d'eau chaude) ou de la chlorexidine (Hibitane).

Les perchoirs et les jouets *de bois* devraient de préférence être désinfectés à la chaleur (au four à 80 °C [176 °F] pendant 15 minutes) après avoir été lavés à l'eau chaude.

L'environnement

En règle générale, la cage de votre serin devrait se trouver dans la pièce la plus habitée de la maison, dans celle où vous passez la plus grande partie de votre temps. Votre compagnon ne se sentira pas isolé et vous pourrez lui prodiguer toute l'attention dont il a besoin.

La cuisine est souvent la pièce choisie. C'est là que votre oiseau pourra rencontrer toute la maisonnée, participer aux repas et partager vos plats, ce qui est une excellente façon pour lui de varier son alimentation. Mais la cuisine n'est pas sans dangers. Le gras de cuisson qui s'évapore dans l'air ira se déposer sur son plumage et lui fera perdre ses propriétés isolantes; votre serin deviendra ainsi plus sensible au froid. Cuisinez avec moins de gras ou… éloignez-le des casseroles! Des poêles à revêtement de téflon surchauffées qu'on a oubliées sur le feu dégagent des vapeurs extrêmement nocives qui peuvent tuer un serin en quelques minutes. *Attention!*

Ne laissez pas votre protégé voler dans la cuisine à moins que vous ne vouliez manger du serin frit ou bouilli!

Le salon (ou salle de séjour) est un autre endroit où vous pourriez installer une cage, surtout si c'est la pièce où vous lisez et regardez souvent la télévision. N'oubliez pas toutefois que votre oiseau a besoin d'au moins dix heures de sommeil par nuit et que le cinéma «de minuit» ne l'intéresse pas nécessairement. Couvrez la cage ou installez-le ailleurs si vous voulez vous coucher tard.

Bien des serins chanteront trop s'ils sont stimulés par de la musique ou le bruit de la télévision, au point où ils pourraient vous gêner. Mais sachez l'apprécier, car certains de vos voisins pourraient bien vous envier! Selon les circonstances, changez-le de place et couvrez sa cage, mais ne soyez pas trop tyrannique; comprenez que votre serin exprime sa joie de vivre en chantant.

Les autres endroits ne conviennent pas pour la plupart: la chambre à coucher est beaucoup trop isolée; le corridor ou l'entrée sont souvent balayés par des courants d'air froid, et la salle de bains est beaucoup trop humide.

Certaines personnes abritent un serin à leur lieu de travail (salle d'attente, bureau de réceptionniste). Si vous ne travaillez que de 9 à 17 heures, achetez un couple d'oiseaux pour qu'ils se tiennent compagnie. Un oiseau seul sera bien malheureux.

Si vous laissez votre serin voler en liberté, faites attention aux cadres de porte où ils adorent se percher. Trop souvent, une porte fermée par mégarde, où l'oiseau se retrouve coincé, est la cause de fractures très graves aux pattes.

Tous les oiseaux se sentent plus en sécurité en hauteur. Comme vous le verrez, votre serin préférera lui aussi se jucher à un endroit élevé: le dessus des armoires ou de sa cage, votre épaule, votre tête, s'il est apprivoisé… Il risque d'être très malheureux si vous placez sa cage sur une table basse. Comme il est sans défense, il se sentira constamment menacé; une situation aussi stressante risque grandement d'affaiblir son système immunitaire, sans compter qu'elle pourrait le rendre malade. Mieux vaut donc installer la cage sur un meuble haut ou l'accrocher au plafond. Si vous n'avez pas d'enfant ni d'animaux domestiques, vous pouvez opter pour un support sur pied, en métal, pour y suspendre la cage. Mais prenez garde: ces objets peu stables peuvent facilement être renversés par un animal ou un enfant, ce qui risque de blesser votre serin.

La température ambiante

Un serin en bonne santé peut supporter des variations de température *graduelles* de plusieurs degrés. **Les changements brusques** sont à éviter absolument. Un courant d'air chaud dans une pièce chaude ne cause aucun mal; le danger vient plutôt d'un courant d'air d'une température différente de celle à laquelle l'oiseau est habitué.

Si la température de votre maison baisse de quelques degrés pendant la nuit, une couverture sur la cage de votre serin l'aidera à conserver sa chaleur.

La température idéale se situe entre 20 et 25 °C. Pour un oiseau malade, en mue ou stressé, elle ne devrait pas descendre en bas de 25 °C et pourrait aller jusqu'à 30 °C. Un oiseau installé à proximité de fenêtres ou de baies vitrées d'où peuvent s'échapper des courants d'air frais court de réels dangers. Évitez aussi l'air climatisé; si ce n'est pas possible, faites en sorte de ne pas placer la cage directement vis-à-vis du jet du climatiseur.

Un chauffage excessif peut être tout aussi nuisible, surtout pour le plumage. Évitez aussi les courants d'air trop chauds, et surtout, ne placez jamais votre serin sous un jet d'air provenant d'un appareil de chauffage.

Par une chaude journée printanière ou estivale, votre canari pourrait attraper une insolation qui pourrait lui être fatale. Prévoyez donc toujours un petit coin à l'ombre pour lui.

L'éclairage

Comme le serin a besoin de dix à douze heures de sommeil par nuit, il peut donc passer le reste de la journée en pleine lumière. L'éclairage artificiel, ampoule ou néon, suffit mais le soleil est sans égal. Le serin aimera vivre à proximité d'une fenêtre; cependant, évitez de l'exposer à un soleil de plomb.

Donnez toujours à l'oiseau *la possibilité* de se percher à l'ombre et au soleil, par exemple en couvrant la moitié de la cage avec une couverture, ou en fermant partiellement le rideau ou le store. N'oubliez pas que la température d'un objet (ou d'un animal) soumis aux rayons ardents du soleil augmente de façon parfois très notable! Les fenêtres en verre filtrent les rayons ultraviolets. Tout comme vous, qui ne bronzez pas derrière une vitre, votre serin gardé à l'intérieur n'aura pas un plumage aussi brillant que celui exposé aux rayons solaires. Il est donc très important de lui donner des suppléments vitaminiques contenant de la vitamine D3: ils peuvent pallier le manque de rayons solaires, surtout si vous vivez dans une région où les hivers sont rigoureux.

De plus, essayez de maintenir une photopériode adaptée à la saison: en augmentant les heures de lumière pendant l'été et en les diminuant l'hiver. La mue en sera facilitée.

La sortie à l'extérieur de la cage

Si vous le pouvez, donnez à votre serin l'occasion de sortir de sa cage au moins une heure par jour.

Comme nous l'avons déjà dit, la cage n'est pas une prison et l'oiseau y sera heureux pourvu qu'il n'y soit pas enfermé tout le temps. Une fois en liberté, votre serin pourra prendre de l'exercice et se dégourdir les ailes, chose excellente pour sa santé et qui pourrait lui faire perdre les quelques grammes qu'il a en trop. De plus, il se changera les idées, il «verra du pays» et... s'amusera avec vous.

Ne laissez *jamais* la porte de la cage ouverte si vous n'êtes pas là pour surveiller votre oiseau. Trop de serins sont morts par suite de négligence: ils sont tombés derrière le réfrigérateur, ils se sont fait attaquer par le chat, ils se sont noyés dans la cuvette des toilettes, ils ont grignoté une plante toxique (un poinsettia, par exemple) ou ils se sont envolés par une fenêtre ouverte. Même s'il est recommandé de faire sortir votre serin, il pourrait quand même vivre heureux confiné à sa cage pourvu qu'elle soit assez spacieuse.

Si vous n'envisagez pas de laisser votre serin voler en liberté, achetez-lui donc une cage assez grande pour qu'il puisse voleter à son aise.

Malheureusement, certains serins n'ont pas l'instinct de revenir d'eux-mêmes à leur cage; ils peuvent être hypernerveux et se précipiter sur la première fenêtre, qu'elle soit ouverte ou non!

CONSEILS

- Éliminez tout risque d'accident ou d'empoisonnement. Faites attention surtout aux plantes, aux ventilateurs de plafond, aux fils électriques, aux objets peints, aux miroirs et aux vitres des fenêtres. Évidemment, vous ne pouvez pas déplacer les fenêtres mais au moins fermez les rideaux!
- Méfiez-vous des autres animaux: chats, chiens, furets, qui peuvent profiter de la sortie de votre serin pour varier leur menu...
- Si votre serin refuse de revenir au bercail à la fin de sa sortie et s'il vous contraint à faire la «chasse au serin», vous pouvez l'amadouer et l'attirer à sa cage en lui servant de la nourriture qu'il affectionne particulièrement, et dont vous l'aurez privé au préalable.

Si l'idée de faire voler votre oiseau vous rend nerveux, rassurez-vous. En fait, il est très habile en vol et, pourvu qu'il ait un peu de pratique, il sera très délicat avec vous. Il ne s'agrippera pas à vos cheveux et ne s'y emmêlera pas; il ne vous lacérera pas le visage de ses «ongles» et ne vous attaquera pas pour vous mordre!

Malgré les risques, il y a donc des avantages indéniables à laisser voler votre serin, le principal étant sans aucun doute le plaisir qu'il en retirera et l'affection qui pourra naître entre vous et lui. De plus, son vol gracieux vous charmera. Un serin apprivoisé se posera parfois sur l'épaule ou la tête de son maître.

La sortie à l'extérieur de la maison

Les sorties à l'extérieur de la maison sont à déconseiller, à moins de circonstances exceptionnelles.

Si vous emmenez votre l'oiseau à l'extérieur dans sa cage, sachez que vous l'exposez à des dangers divers: attaques de chats dès que vous aurez le dos tourné; contamination par parasites ou microbes transmis par les oiseaux sauvages, courants d'air, coups de chaleur, etc.

En résumé, le serin, même s'il est un oiseau robuste, devrait passer sa vie à l'intérieur à moins que vous ne viviez à un endroit où le climat est particulièrement clément. Vous pourriez alors installer à l'extérieur des volières sûres et pratiques. Renseignez-vous à ce sujet auprès d'éleveurs ou de vétérinaires de votre localité.

Les maladies
et leur traitement

Un serin aux plumes ébouriffées, qui reste affalé au fond de la cage et réagit à peine si on le touche est souvent «mort» même s'il reçoit les meilleurs soins médicaux. Cela est malheureusement vrai dans 95 p. 100 des cas; n'attendez donc pas de constater de tels symptômes avant de consulter un vétérinaire.

Symptômes généraux d'un oiseau malade

Les oiseaux sont maîtres dans l'art de dissimuler leurs malaises. Dans la nature, les serins malades sont tués ou abandonnés par leurs congénères qui cherchent ainsi à ne pas attirer les prédateurs. Votre serin essaiera donc par tous les moyens de vous cacher sa mauvaise santé. Apprenez à bien reconnaître ce qui est normal pour lui. S'il n'a pas l'habitude de dormir l'après-midi et qu'il tombe endormi, s'il dort la tête enfouie dans les plumes, s'il ébouriffe ses plumes, s'il ne chante plus, s'il refuse que vous l'approchiez alors qu'auparavant, il adorait se faire cajoler, ou encore s'il est amorphe ou refuse de sortir de sa cage, votre serin est peut-être malade. La plupart des serins malades vont hérisser leur plumage au point de ressembler à une petite boule de duvet; c'est un symptôme très sérieux qu'il ne faut pas confondre avec l'embonpoint. Un serin malade est moins actif et il ne sautille pas aussi agilement.

Inquiétez-vous aussi de tout écoulement nasal ou oculaire, de signes de vomissements ou de régurgitations (plumes de la tête collées), de selles anormales, de difficultés respiratoires, de l'augmentation ou de la diminution de l'appétit, de changements notables dans ses activités. Si votre serin arrête de manger, il est dans un état critique et nécessite des soins immédiats.

Rappelez-vous que plusieurs serins meurent la bouche pleine; le fait que le vôtre «mange encore» ne doit pas endormir votre vigilance. Ne prenez aucun risque et au moindre doute, consultez un vétérinaire. Votre oiseau est unique; sa vie est importante et elle dépend de vous.

Soins généraux à apporter à l'oiseau malade

Avant toute chose, prenez rendez-vous le plus tôt possible chez le vétérinaire. Même le plus habile des vétérinaires ne peut poser un diagnostic au téléphone et encore moins traiter votre serin de cette façon!

Malgré tout, vous devriez prodiguer à votre oiseau malade certains soins:

- Évitez-lui des angoisses inutiles en l'installant dans une pièce calme. Couvrez trois côtés de sa cage avec une couverture. Il se sentira plus en sécurité. Surtout n'allez pas le déranger toutes les quinze minutes pour voir s'il va mieux. Son instinct de conservation le poussera à masquer à tout prix les symptômes de sa maladie: il se peut qu'il remonte sur son perchoir, lisse ses plumes ébouriffées et vocalise un peu, non parce qu'il va mieux, mais parce que dans la nature un serin malade ne survit pas. Malheureusement, il gaspille ainsi une énergie précieuse qui pourrait servir à combattre la maladie.
- Élevez la température ambiante pour que l'environnement immédiat de l'oiseau reste à une température de 27 °C à 30 °C.

L'oiseau malade éprouve beaucoup de difficulté à maintenir sa température corporelle. Il gonfle ses plumes pour augmenter son isolation et donc sa température interne, mais cela ne suffit pas la plupart du temps. Utilisez un coussin chauffant sous la cage, une lampe chauffante ou, plus simplement, isolez l'oiseau dans une petite pièce où vous pouvez régler la température.

- Si vous avez plusieurs oiseaux, isolez le malade, de préférence dans une pièce à part. Certaines maladies peuvent être contagieuses.
- Enlevez de sa cage le gravier (si vous n'avez pas suivi nos conseils (voir p. 52) et que vous persistez à lui en donner!) de même que les écailles d'huîtres et les blocs minéraux. Le serin indisposé peut en consommer trop.
- Installez l'eau et la nourriture tout près du serin pour qu'il ne fasse pas d'efforts inutiles pour atteindre ses augets. S'il se tient au fond de la cage, mettez-y l'eau et la nourriture dans des plats peu profonds.
- Offrez à votre petit malade du millet en grappe à volonté s'il l'aime, et une grande variété d'aliments (fruits, légumes, pain de blé entier, etc.). Évitez toutefois les aliments gras et indigestes (œufs, fromage, viande), tant que votre vétérinaire n'aura pas posé un diagnostic.
- Notez la consistance des fientes et conservez des échantillons pour le vétérinaire.
- Dressez la liste de toutes les causes possibles de la maladie: courant d'air, stress, acquisition d'un nouvel oiseau, possibilité d'empoisonnement, changement dans l'alimentation, déplacements, etc. Cela pourrait aider votre vétérinaire.
- N'utilisez jamais de médicaments prescrits pour les humains ou pour d'autres animaux, ni ceux qui ont auparavant servi à soigner un autre oiseau. Ne lui donnez pas d'alcool: le cognac n'a jamais guéri les humains, pourquoi en serait-il autrement pour

votre serin? Ne vous lancez pas dans les traitements maison. Sachez qu'il n'y a pas de diagnostic facile. Le serin ne peut décrire ses symptômes, et la médecine des oiseaux est toute jeune. Songez aussi que même pour les humains, la médecine n'arrive pas à sauver tous les patients.

- N'utilisez *jamais* de crème ou d'onguent sauf s'ils ont été prescrits par le vétérinaire. Le plus souvent, ces produits finissent par coller aux plumes et rendent le plumage plus perméable au froid; ils peuvent aussi être ingérés par l'oiseau qui risque alors de s'intoxiquer.

Les pages suivantes décrivent quelques-unes des maladies les plus susceptibles d'affliger votre serin. Toutefois, dans la majorité des cas, on ne trouve pas de signes pathopneumoniques (joli terme médical signifiant que certains symptômes ne peuvent être reliés qu'à une seule maladie). Ainsi, la diarrhée est un symptôme et non une maladie en soi. Ses causes sont multiples: malnutrition, infection rénale ou digestive, problème hépatique, diabète, mauvais fonctionnement de l'appareil digestif, cancer, parasites, blocage ou irritation par le gravier, empoisonnement... La médecine a inventé l'électromicroscopie, l'échographie, le scanner, l'endoscopie... et ce n'est pas sans raison. Certaines maladies sont difficiles à diagnostiquer et d'autres ne répondent à aucun traitement. Le médicament universel «contre la diarrhée» que vous aurez acheté à la boutique d'animaux ne guérira certainement pas tous ces maux.

Règle de base: consultez un vétérinaire qui connaît bien les oiseaux. Voyez une clinique où au moins 30 p. 100 de la clientèle est constituée d'oiseaux et... n'attendez pas de miracle! On n'a pas encore découvert de remède contre le cancer chez les humains, encore moins chez les serins!

Si vous décidez d'administrer vous-même un antibiotique ou tout autre médicament obtenu sans ordonnance, vous en subirez probablement les conséquences néfastes. Vous retarderez votre visite chez le vétérinaire pour «expérimenter» le traitement, ce qui affaiblira l'oiseau et le rendra plus malade. Vous risquez de masquer certains indices révélateurs. De plus, vous augmenterez la résistance des bactéries au traitement qui est réellement nécessaire. Enfin et surtout, *vous* pourriez provoquer indirectement la mort de votre oiseau. Alors, prudence!

Mais pourquoi votre serin est-il malade?

Vous comprendrez que les changements de comportement chez votre oiseau dénotent des *symptômes* et non une maladie comme telle. Par exemple, la diarrhée ou l'amaigrissement en tant que tels ne sont pas des «maladies», mais plutôt les manifestations d'un problème particulier que l'on doit identifier pour soigner le serin adéquatement.

Il faut tenir compte de trois facteurs pour comprendre les causes de maladie:
• le serin lui-même;
• l'environnement;
• l'agent de la maladie.

Le serin lui-même

Ici entrent en jeu des facteurs tels que l'hérédité, la mue, la reproduction, l'âge de l'oiseau, son état immunitaire, sa constitution, son état nutritionnel.

L'environnement

Voici quelques exemples d'éléments pouvant diminuer la résistance de votre serin face à la maladie:
• une photopériode inadéquate;
• une température trop basse, trop haute ou qui varie trop;

- les courants d'air;
- une mauvaise hygiène;
- trop ou trop peu d'humidité;
- un environnement mal aéré ou dangereux;
- le stress;
- l'exposition à des oiseaux malades;
- une mauvaise nutrition.

L'agent de la maladie

Les agents qui peuvent causer un même symptôme sont multiples: les bactéries, les virus, les parasites, les champignons (fongus), les levures, les poisons, les irritants, la malnutrition, les cancers, les toxines et les problèmes métaboliques, immunitaires, psychologiques ou hormonaux.

La maladie est un phénomène extrêmement complexe. Son apparition requiert que le vétérinaire pose un diagnostic précis avant de commencer un traitement.

Les traitements vétérinaires

Si votre serin souffre d'une quelconque maladie, nous vous donnons un seul conseil, valable dans la plupart des cas: *CONSULTEZ UN VÉTÉRINAIRE.* Pourquoi? Qu'est-ce que le vétérinaire peut faire de plus que vous pour votre serin?

La première étape, la plus difficile, consiste à poser un diagnostic, c'est-à-dire à identifier, si possible, la cause exacte de la maladie. Pour cela, le vétérinaire examinera votre oiseau et procédera au besoin à des analyses de laboratoire (radiographies, analyses du sang et des selles, cultures bactériennes, etc.). Il ne faut pas jouer aux devinettes lorsque la vie d'un animal est en jeu. Malheureusement, la petite taille du serin nous empêche d'effectuer certains tests requérant, par exemple, une quantité de sang trop importante pour un oiseau ou l'utilisation d'instruments trop volumineux. Trop souvent, hélas! les propriétaires estiment qu'il est plus économique d'acheter un nouveau serin plutôt que de faire soigner leur malade. Rappelez-vous que votre serin n'est pas un bien de consommation remplaçable. Ce petit être est unique et vous en êtes responsable. Compte tenu des résultats d'analyses et de l'état général de votre petit compagnon, différentes formes de traitements sont possibles.

Administrer un médicament dans l'eau de boisson

On peut donner à l'oiseau un médicament dans l'eau qu'il boit. Ce traitement n'a que deux avantages: il est facile à administrer et il ne provoque aucun stress chez l'oiseau. Il est utile dans les cas mineurs ou à la suite d'une hospitalisation pour terminer le traitement. Malheureusement, plusieurs médicaments changent le goût et la couleur de l'eau; le serin peut alors refuser de boire normalement. De plus, comme il est impossible de contrôler la quantité exacte de remède qu'il absorbera, on risque de lui en donner trop ou pas assez.

CONSEILS

- Si le médicament a un goût amer ou désagréable, ajoutez-y un peu de miel pour le rendre appétissant. Assurez-vous auprès de votre vétérinaire qu'il n'y a pas de contre-indication à ce mélange.
- Supprimez les fruits et les légumes riches en eau. Le serin serait bien trop heureux d'extraire le jus de ses aliments et diminuerait ainsi sa consommation d'eau médicamentée. Dans certains cas, il est recommandé de tremper les fruits et les légumes dans de l'eau médicamentée pour que l'oiseau malade absorbe plus de médicaments.

- On peut ajouter certains médicaments à la nourriture de l'oiseau. Choisissez des aliments mous (raisins, bananes, par exemple) auxquels le médicament adhérera facilement et assurez-vous qu'il les consomme en entier. Il ne voudra que des médicaments ayant un bon goût. Un serin ne se laissera jamais mourir de soif, peu importe le goût de l'eau. N'oubliez pas toutefois qu'il peut refuser les aliments médicamentés et, s'il n'a rien d'autre à «se mettre sous la dent», il peut mourir de faim.

Administrer un médicament directement dans le bec

Il est possible d'administrer avec une seringue ou un compte-gouttes de petites quantités de médicaments directement dans le bec d'un serin. De cette façon, l'oiseau reçoit le dosage exact à un moment précis dans la journée. Cette méthode n'est valable que pour des serins calmes ayant des maîtres capables de les manipuler délicatement.

CONSEILS

- N'utilisez jamais de compte-gouttes ou de seringue en verre. Imaginez la catastrophe si l'oiseau les brisait dans son bec!
- Administrez de petites doses à la fois et assurez-vous que le serin a bien avalé son médicament avant de continuer.
- S'il se débat, crie et s'étouffe, arrêtez immédiatement. Le médicament pourrait obstruer la trachée et entraîner une pneumonie fatale. La petite taille du serin rend cette opération très délicate; elle ne devrait être réalisée que par quelqu'un d'habile et de calme.

L'hospitalisation

Un serin malade doit parfois recevoir des traitements intensifs pendant plusieurs jours. L'hospitalisation est alors essentielle. Assurez-vous que le vétérinaire que vous consulterez a de bonnes connaissances en médecine des oiseaux (très différente, répétons-le, de celle des chiens et des chats) et qu'il est équipé pour hospitaliser votre serin, si cela était nécessaire. À l'hôpital, l'oiseau est sous surveillance médicale continue. Chaque jour, on note le poids, les activités, l'appétit, la consistance des selles du malade et s'il y a lieu, on modifie le traitement sans délai. Bien sûr, l'hôpital est un milieu stressant pour le serin, mais il représente dans bien des cas sa seule chance de guérison. Un serin qui arrête de manger *doit* être hospitalisé.

Les injections

À l'hôpital, on peut injecter à l'oiseau des médicaments avec un minimum de stress et d'inconfort. La dose exacte, qui est calculée selon le poids de l'animal, est donnée à heures fixes. Un serin n'apprécie certes pas ce genre de traitement, mais les médicaments injectables sont souvent plus puissants et plus efficaces que ceux donnés par voie orale. En outre, plusieurs médicaments n'existent que sous forme injectable.

Le plus souvent, on administre les piqûres dans le muscle de la poitrine (appelé «muscle du bréchet»). Pour des cas graves, des injections intraveineuses sont parfois nécessaires. On peut donner le sérum sous la peau, dans le cou ou à l'intérieur des cuisses.

Les intubations

Il est possible de doser exactement un médicament donné par voie orale ou de nourrir un serin anorexique en l'intubant. Cela consiste à insérer un tube de caoutchouc assez rigide dans le bec qui est ensuite descendu dans l'œsophage jusqu'au jabot. Les médicaments ou la nourriture prescrits, qui sont alors déversés dans le tube, ne risquent pas d'atteindre les poumons. Les intubations doivent être réalisées par une personne bien formée. Si le tube était accidentellement inséré dans la trachée plutôt que dans l'œsophage, le serin mourrait étouffé. Les intubations ne sont pas douloureuses; elles ne prennent que quelques minutes et doivent être effectuées deux ou trois fois par jour, selon le cas.

La chirurgie

Certains problèmes, telles les tumeurs, les corps étrangers, les fractures ouvertes, les lacérations, etc., nécessitent une intervention chirurgicale. Chez les humains comme chez tous les autres animaux, l'anesthésie comporte un risque de décès; mais les vétérinaires pour oiseaux utilisent depuis quelques années l'Isoflurane pour endormir les serins. Avec ce gaz très sécuritaire (quoique très cher), les risques d'accident ont diminué de beaucoup. Demandez à votre vétérinaire de quelle façon votre serin sera anesthésié, s'il doit subir une intervention chirurgicale.

Les problèmes digestifs

La *fiente normale* du serin est composée de trois parties qui sont excrétées en même temps: une partie vert brun mi-ferme qui constitue en réalité *les selles,* c'est-à-dire ce qui provient du système digestif; une partie blanche plus ou moins solide qui représente *l'urate* (solide), venant du rein mais qui a été concentrée par le tube digestif et enfin un petit cerne liquide clair qui est en fait de l'urine non concentrée. Sachez reconnaître les selles normales de votre oiseau.

Diarrhée et excès d'urine

Les cas de diarrhée — où la partie vert brun devient vert clair, noire ou jaune, molle et non formée — sont aussi fréquents que les cas de polyurie (excès d'urine). Des selles formées mais entourées d'un grand cerne d'eau dénotent un problème d'excès d'urine et non de diarrhée; les causes et les traitements ne sont pas les mêmes et il peut être difficile de faire la différence. Conservez donc les selles de l'oiseau pour les faire examiner par le vétérinaire.

Les causes possibles de diarrhée et d'excès d'urine sont variées et pourraient remplir deux ou trois pages de ce livre: infection, parasites, poison, cancer, diabète, problèmes digestifs, maladie du foie ou du pancréas, goutte rénale, etc. Rappelez-vous simplement qu'un oiseau qui mange beaucoup de fruits ou de légumes, qui est nerveux ou vit dans un environnement très chaud a des selles plus molles et plus liquides, sans que cela soit grave.

Pour vérifier si votre serin est en bonne santé, isolez-le dans une pièce calme à une température de 25 °C et enlevez temporairement les fruits et les légumes, l'os de seiche et le bloc minéral de sa cage. Ses selles devraient redevenir normales en 24 heures. Jamais son activité ne devrait diminuer.

Dans tous les autres cas:
- diarrhée qui persiste plus de 24 heures;
- diarrhée accompagnée de vomissements ou d'anorexie;
- oiseau abattu et gonflé;
- selles avec du sang ou vert émeraude;
- selles avec des graines non digérées,

une visite immédiate chez le vétérinaire s'impose.

En dernier ressort, si le recours à un vétérinaire est impossible, vous pouvez donner à l'oiseau un antidiarrhéique à base de kaolin et de pectine (du Kaopectate, par exemple) à raison d'une goutte aux quatre heures. Suivez aussi les directives de la page 74, Soins généraux à apporter à l'oiseau malade. Chez le serin, il existe deux causes fréquentes de diarrhée: la *coccidiose,* causée par un protozoaire (sorte de parasite) décelable dans les selles sous examen microscopique et assez facilement traitable; et la collibacillose, causée par un bacille, la bactérie E. Coli, difficile à diagnostiquer et à traiter. La collibacillose est une maladie redoutable qui cause des mortalités surtout chez les jeunes serins.

Vomissements et régurgitations

Les oiseaux ne vomissent pas vraiment. Ils régurgitent, c'est-à-dire qu'ils expulsent la nourriture non digérée de leur jabot (et non de leur estomac). Quoi qu'il en soit, considérez toujours la régurgitation comme un problème sérieux *sauf* si l'oiseau ne régurgite qu'une fois par suite d'un traumatisme (changement dans le régime alimentaire, déplacement, frayeur). Éliminez les facteurs de stress et tout devrait rentrer dans l'ordre.

Les autres cas de régurgitation sont sérieux, car le serin ne vomit pas volontairement mais parce qu'il est malade. Il a alors le plumage gonflé, les plumes de la tête souillées et collées et, souvent, vous pouvez déceler une bosse dans son cou. C'est son jabot qui est rempli de liquide. Le serin qui ne peut garder sa nourriture maigrit, s'affaiblit et se déshydrate très rapidement. Il peut même être étouffé par ses régurgitations. Consultez un vétérinaire sans tarder. Une radiographie et des cultures bactériennes seront souvent nécessaires.

Les causes possibles sont une infection, un blocage intestinal par des corps étrangers, un excès de gravier, une tumeur, des parasites, un empoisonnement, un problème neurologique, l'engorgement du foie, etc. Les vomissements sont cependant rares chez le serin.

N'obligez jamais votre oiseau à jeûner. Bien sûr, il ne vomira plus puisque son jabot sera vide, mais il mourra de faim en peu de temps.

La constipation

Il est extrêmement rare de voir un serin constipé. Le plus souvent, on confond l'oiseau constipé avec l'oiseau malade qui mange moins ou plus du tout (et produit donc très peu de selles).

Les vrais cas de constipation peuvent être causés par un blocage intestinal, un œuf retenu, une tumeur, une hernie abdominale, l'obésité ou une masse au niveau du cloaque, ou encore par des selles diarrhéiques, qui en collant aux plumes obstruent le passage des autres excréments.

Quant au vieux truc qui consiste à donner de l'huile minérale comme laxatif, vous verrez qu'il est inutile dans la plupart des cas: cela ne fait que retarder votre visite chez le vétérinaire et pendant ce temps votre oiseau dépérira.

Les autres problèmes fréquents: l'anorexie et les problèmes respiratoires

L'anorexie

L'anorexie est le refus de se nourrir. Les causes possibles sont les infections, les maladies du foie, la douleur, les blocages, le stress, etc. Comme nous l'avons dit auparavant, un serin ne peut être privé de nourriture même pour une courte période (24 heures) sans en pâtir. Vous saurez que votre serin est anorexique si vous constatez que ses selles diminuent et qu'il ouvre moins de graines.

Essayez d'offrir à l'oiseau ce qu'il préfère. S'il boit encore, ajoutez du miel dans son eau, plus des vitamines et des minéraux. Rendez-vous d'urgence chez le vétérinaire.

Les maladies respiratoires

Les affections respiratoires sont très fréquentes chez les serins et une cause majeure de mortalité, surtout chez les sujets jeunes. Contrairement à la plupart des maladies respiratoires chez les humains, celles qui affectent les oiseaux ne sont pas causées par des virus mais par des bactéries, des fongus, la chlamydia (sorte d'organisme mi-virus et mi-bactérie), des parasites du système respiratoire et des mycoplasmes (bactérie sans paroi).

Si nous arrivons quelquefois à soigner notre rhume simplement en restant au chaud, en nous reposant, en absorbant des liquides et des vitamines, un serin a souvent besoin d'antibiotiques ou d'autres médicaments pour guérir.

L'hypovitaminose A

Le manque de vitamine A prédispose les oiseaux aux problèmes respiratoires en rendant plus fragiles leurs muqueuses qui sont leur défense naturelle contre les agents infectieux. Le serin qui ne mange que des graines, surtout s'il n'absorbe pas de supplément vitaminique, souffre souvent d'une carence en vitamine A; s'il est atteint d'une infection respiratoire, son traitement devrait toujours inclure un supplément en vitamine A donné sous forme d'injection ou par le bec. L'ajout d'huile de foie de morue (une ou deux gouttes par semaine sur la nourriture) peut pallier cette lacune surtout si l'oiseau refuse les autres sources alimentaires de vitamine A. Les légumes vert foncé, comme le brocoli, les épinards et le poivron vert, renferment de la vitamine A. Offrez-en plus souvent à votre serin (voir p. 44).

Les sinusites

Un oiseau qui éternue, dont le nez coule et qui a les narines bouchées est atteint tout au moins d'une sinusite. Nous disons «tout au moins» parce que la sinusite est très souvent accompagnée de symptômes plus généraux: léthargie, plumage gonflé, refus de se nourrir, fièvre, laryngite et pneumonie. Même une sinusite sans complication peut être difficile à traiter et peut causer des difformités permanentes aux orifices nasaux.

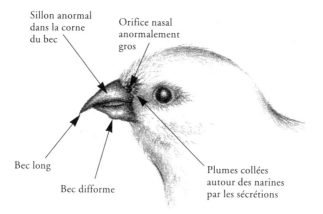

Sillon anormal
dans la corne
du bec

Orifice nasal
anormalement
gros

Bec long

Bec difforme

Plumes collées
autour des narines
par les sécrétions

Le dessin ci-dessus représente le serin bien mal en point ayant tous les symptômes d'une sinusite. Le plus souvent, un seul de ces symptômes se manifeste et parfois même, il n'y en a aucun.

Nous recommandons, dans les cas de sinusite, une culture des écoulements nasaux ou des sécrétions des choanes (fentes du palais), pour identifier l'agent causal et déterminer la prescription des antibiotiques qui agiront contre cette bactérie (si c'est une bactérie). Selon la cause de la sinusite et l'état de l'oiseau, on peut le traiter avec des médicaments mélangés à de l'eau qui sont administrés directement dans le bec, en gouttes dans les narines ou sous forme d'injection.

N'attendez pas, car l'état de l'oiseau non traité peut se détériorer rapidement. Même s'il est encore en pleine forme, une visite chez le vétérinaire s'impose. À la maison, faites le nécessaire pour combattre le mal: isolez votre serin, augmentez l'humidité ambiante, diminuez les sources d'irritation (fumée, poussière), assurez-vous que votre oiseau est au chaud et se repose.

Les sinusites d'origine allergique existent probablement aussi chez les oiseaux (comme le rhume des foins chez l'humain). L'absence de tests d'allergies pour les oiseaux nous empêche de le prouver, mais dans certains cas où l'oiseau reste en pleine forme (mis à part les éternuements), où il ne réagit pas aux antibiotiques et où il n'arrive pas à isoler de bactérie, on pourrait supposer qu'il souffre d'allergies, d'asthme ou de congestion. Le serin atteint de sinusite continue parfois à chanter. Cela n'empêche pas qu'il puisse avoir un problème sérieux et que son état puisse dégénérer et se transformer en l'une des maladies suivantes.

Les laryngites et les syringites

Le serin ne possède pas de cordes vocales. Sa voix et son chant proviennent des contractions de certains muscles qui agissent sur un appareil vocal situé près des poumons et appelé «syrinx». Toute opération visant à priver l'oiseau de sa voix est très risquée, car cet organe est tout près des poumons.

Le syrinx peut être le site d'infections, soit de syringites ou de laryngites. L'oiseau a alors une voix rauque, plus basse; parfois même, il cesse de chanter. Ce sont les signes d'un mal sérieux qui dégénère souvent en pneumonie. Soyez donc attentif à tout changement dans la voix de votre serin. Certains parasites microscopiques appelés «mites de trachée» causent aussi une respiration sèche. Dans ce cas, le traitement administré par votre vétérinaire est simple et très efficace.

La pneumonie et l'infection des sacs aériens

Le système respiratoire de l'oiseau est unique. Il est parfaitement adapté à la caractéristique principale de cette espèce qui est la capacité de voler. En conséquence, tout l'organisme de l'oiseau tend vers une plus grande légèreté. Les poumons sont petits et communiquent avec les sacs aériens au nombre de sept, sortes de poches où l'air circule et où se produisent des échanges gazeux. Chez le serin, plusieurs des os les plus importants sont en partie creux et permettent ainsi une meilleure oxygénation. Les os creux communiquent avec les sacs aériens.

Une pneumonie (infection des poumons) est donc souvent accompagnée de sacculite (inflammation des sacs aériens) et même parfois d'ostéomyélite (inflammation des os) puisque tous ces organes communiquent directement. Les causes des maladies respiratoires sont les bactéries, les virus, les mycoplasmes, les parasites ainsi que les champignons ou levures. Les infections par champignons sont souvent attribuables à l'abus d'antibiotiques donnés à mauvais escient. Beaucoup de serins qui souffraient à l'origine de problèmes non bactériens (œuf retenu ou empoisonnement) sont morts à la suite d'un traitement aux antibiotiques qui a permis la croissance de champignons mortels.

Tout cela explique la difficulté de traiter une pneumonie. L'oiseau atteint de pneumonie a une respiration difficile, souvent bruyante et garde parfois le bec ouvert. Le plus souvent, il hérisse son plumage et refuse de manger. La moindre contrariété peut le faire tomber en syncope (manque d'oxygène au cerveau) et le tuer. La pneumonie exige sans contredit des traitements médicaux suivis, donc une hospitalisation. Votre serin recevra, selon le cas, de l'oxygène, du sérum, des antibiotiques injectables, des décongestionnants et de la nourriture par intubation. Il devra être isolé et gardé à la chaleur. Seul un vétérinaire peut donner ces traitements et, même dans ce cas, sachez que le taux de mortalité est malheureusement élevé. Comprenez que même si le choc du déplacement et de l'examen du vétérinaire peut parfois avoir des conséquences fatales pour un serin très malade, le traitement médical n'en reste pas moins sa seule chance de survie. Un oiseau qui ne supporte pas l'examen vétérinaire serait mort de toute façon à la maison, mais plus lentement et donc plus cruellement.

La psittacose

La psittacose n'existe pas chez le serin. C'est une maladie respiratoire transmissible à l'homme, causée par un organisme hybride (mi-virus et mi-bactérie) appelé *chlamydiae pstittacie* qu'il ne faut pas confondre avec la chlamydiose des chats (qui cause des problèmes oculaires) ou la chlamydia des humains (responsable chez ces derniers de maladies sexuellement transmissibles).

La variole

La variole est une maladie virale, extrêmement contagieuse entre les oiseaux de type passériforme, c'est-à-dire le serin et le pinson. Le plus souvent mortelle, elle affecte le système respiratoire et la peau. La variole du serin n'atteint pas l'homme ni les psittaciformes (oiseaux au bec crochu, comme la perruche et le perroquet). L'oiseau atteint de variole présente des amas de pus autour des yeux et à la commissure du bec. Si son système respiratoire est affecté, il éternue, tousse, râle et souffre d'écoulements nasaux.

Le serin est alors faible, inactif et il hérisse son plumage. Il n'existe *aucun* traitement efficace, si ce n'est de contrôler les infections bactériennes secondaires. Selon la virulence de l'agent causal, la mortalité varie de 20 p. 100 à 95 p. 100 en l'espace de quelques semaines voire de quelques jours.

La prévention est essentielle. Vous devez isoler de vos autres oiseaux tous les nouveaux venus pendant 30 à 45 jours. Au moindre signe de variole, consultez un vétérinaire. Ne mettez pas vos oiseaux en contact avec des oiseaux sauvages, souvent porteurs asymptomatiques du virus.

Pour les éleveurs, il existe des vaccins dont l'efficacité est variable et qu'il est plus ou moins difficile de se procurer.

La variole est sans doute la maladie que l'on craint le plus chez les éleveurs de serins, car elle peut décimer des centaines d'oiseaux en peu de temps. Souvent l'euthanasie des sujets atteints est la seule option à cause de leur grande contagiosité et de leur état pitoyable.

Les hémorragies

Le volume sanguin d'un serin est très petit comparé au nôtre. Un serin moyen a environ 2 à 3 ml de sang en circulation. On pourrait prélever un peu moins de 1/5 de ml sans trop de problème (pour une analyse de sang, par exemple). Après une hémorragie, il est impossible de savoir avec précision combien de sang votre serin a perdu. Considérez donc toute perte de sang de plus de quelques gouttes comme une urgence médicale.

Que faire?

En cas d'hémorragie, suivez les règles suivantes.

1. Agissez rapidement mais avec douceur. Saisissez votre serin délicatement à main nue. Ne le serrez pas trop fort, car vous pourriez l'étouffer.

2. Arrêtez le saignement (lisez les rubriques suivantes pour savoir comment procéder dans chaque cas spécifique).

3. Mettez l'oiseau dans sa cage, au calme et à la chaleur. Observez-le de loin.

4. S'il semble déprimé ou faible ou si son plumage est ébouriffé, s'il reste au fond de la cage ou perd l'équilibre, prenez rendez-vous sans tarder avec le vétérinaire.

5. Si l'oiseau semble en pleine forme mais que le volume de sang perdu est important, ne prenez pas de risque et consultez votre vétérinaire. À la clinique, on pourra mesurer exactement la gravité de l'hémorragie en prélevant une petite quantité de sang et en l'analysant (cela peut sembler paradoxal mais ne vous inquiétez pas, car le prélèvement d'une quantité si minime ne va pas empirer l'état de l'oiseau). Selon les résultats, on conseillera des injections de fer, de vitamine B12 ou de sérum ou même une transfusion.

Les hémorragies des griffes

Il arrive parfois que, lors d'une coupe de griffes ou à la suite d'une cassure accidentelle, la veine dans la griffe soit coupée. Si la griffe est vraiment coupée court, l'hémorragie peut être importante. Vous devez agir!

1. Exercez une pression avec vos doigts à la base de l'orteil dont la griffe saigne. Vous compressez ainsi la veine et le sang va s'arrêter.
2. Attendez deux minutes au moins en comptant mentalement. Souvent, on a trop hâte de vérifier si l'hémorragie est arrêtée et on relâche trop vite la veine.
3. Relâchez la pression. Si le sang rejaillit, pressez à nouveau et passez à l'étape suivante.
4. Si vous avez à la maison une poudre ou des bâtonnets coagulants, appliquez-en au bout de la griffe. Essuyez d'abord le sang, car l'agent coagulant ne peut agir s'il y en a trop.
5. Si vous n'avez pas d'agent coagulant, utilisez de la farine ou du bicarbonate de soude.
6. Si l'oiseau a perdu beaucoup de sang, consultez sans tarder un vétérinaire.

CONSEILS

- Si vous envisagez de couper vous-même les griffes de votre serin, procurez-vous *à l'avance* un agent coagulant dans les boutiques d'animaux ou les cliniques vétérinaires.
- Ne coupez que la pointe de la griffe. Si les griffes sont très longues, coupez une petite tranche à la fois jusqu'à la longueur désirée (un quart de cercle).
- Si les griffes sont trop longues, elles peuvent rester accrochées aux perchoirs, à vos vêtements, aux barreaux ou ailleurs et se casser. C'est douloureux pour le serin et cela peut entraîner une hémorragie importante. Faites donc couper les griffes régulièrement.

Les hémorragies des plumes

Une plume en croissance contient une grosse veine. Si, par accident, cette plume se brise, elle saignera abondamment. La plume en croissance (appelée aussi plume de sang) est courte, sa vrille est large et noire et elle est entourée, sur une partie de sa longueur, par une enveloppe fibreuse.

Une plume de sang cassée agit comme un tuyau. Tant que le bout de la plume reste attaché à l'aile, le sang s'écoule parfois jusqu'à ce que mort s'ensuive. Quelquefois, il se forme un caillot de sang au bout du tuyau de la plume et l'écoulement sanguin cesse temporairement. Aussitôt que le serin bat des ailes, le caillot se détache et l'hémorragie recommence.

Vous verrez qu'il y a hémorragie si vous remarquez des gouttelettes de sang non seulement sur l'oiseau mais aussi sur les murs, les perchoirs et les montants de la cage. Vous devez enlever cette plume, mais comment?

1. Enveloppez l'oiseau dans un essuie-tout ou tenez-le bien blotti au creux de votre main.
2. Essayez de trouver la plume responsable de l'hémorragie. Le plus souvent, il s'agit d'une plume au bout d'une aile ou, plus rarement, d'une plume de la queue.
3. S'il s'agit d'une aile, maintenez fermement l'aile entre vos doigts. S'il est mal immobilisé, le serin peut se débattre et se fracturer l'aile. Soyez spécialement prudent avec les femelles en ponte; leurs os sont souvent affaiblis par l'importante demande en calcium que requiert la formation d'un œuf.
4. Exercez une pression ferme des doigts à la base de la plume là où elle entre dans la peau; avec l'autre main ou à l'aide d'une petite pince, saisissez le tuyau de la plume et tirez fermement.
5. Assurez-vous que vous avez réellement extrait toute la plume.
6. Maintenez la pression sur la peau pendant plusieurs minutes: plus la plume extraite est grosse et plus l'hémorragie mettra du

temps à s'arrêter. Soyez patient et continuez d'exercer une pression. Si vous avez réellement enlevé toute la plume, le sang arrêtera bientôt de couler.

7. N'appliquez jamais de produits coagulants sur la peau: ils sont très irritants et brûlent l'épiderme.

8. Les serins atteints de la maladie des plumes enkystées (voir p. 110) peuvent souffrir d'hémorragies majeures si un kyste se brise accidentellement. Dans ce cas, pressez sur le kyste et appliquez un bandage. Ne tentez pas d'extraire le kyste vous-même.

Les fractures et autres traumatismes aux membres

Par suite d'un choc violent (chute, cage décrochée, porte fermée sur une patte ou maladresse humaine), un serin peut se casser un membre. S'il a une patte fracturée, l'oiseau boite et refuse souvent de se porter sur le membre blessé. Il utilise souvent l'aile du côté atteint comme une béquille et semble aussi souffrir d'une fracture de l'aile. S'il s'agit d'une aile, il la tient plus basse ou plus haute, est incapable de voler et tremble.

Les femelles serins qui pondent régulièrement peuvent se fracturer les os par suite de traumatismes mineurs si leur diète n'inclut pas un apport suffisant en calcium. Il s'agira souvent de fractures multiples difficiles à guérir.

Dans le cas d'une fracture ouverte, c'est-à-dire quand l'os cassé transperce la peau, vous devez arrêter l'hémorragie en appliquant un bandage propre sur la plaie. Consultez un vétérinaire aussitôt que possible.

S'il n'y a aucun saignement, *n'essayez pas* de poser vous-même un bandage ou une attelle. Vous pourriez aggraver le problème en manipulant inutilement le membre atteint.

Une fracture chez un serin peut être traitée de plusieurs façons, selon le siège et la gravité du problème. Une radiographie est souvent indispensable. On peut utiliser un bandage, un plâtre, une tige de métal dans l'os ou des cerclages métalliques. Un bon vétérinaire saura vous conseiller, car il n'existe pas de traitement universel. Dans bien des cas, il n'est pas nécessaire qu'un serin domestique puisse voler (par opposition aux oiseaux sauvages); le vétérinaire tient compte de ce facteur dans le traitement. Chose étonnante, la plus grave des fractures guérit souvent en six semaines au plus si elle est bien immobilisée.

Plusieurs cas de boiterie ou d'aile basse ne sont pas dus à des fractures ou à des luxations mais bien à des tumeurs, à des infections du système nerveux ou encore à une arthrite septique ou non. Même si le problème apparaît soudainement, un cancer peut en être la cause. Si en plus l'oiseau est secoué de spasmes à une patte, on doit soupçonner un problème grave au foie qui affecte le système nerveux central. Les maladies du système nerveux sont fréquentes chez le serin; elles se manifestent d'abord par la paralysie soudaine d'une patte qui s'accompagne de spasmes de celle-ci ou de tout le corps.

Les traumatismes dus à la bague de patte

Plusieurs serins sont bagués par l'éleveur lorsqu'ils ne sont que de jeunes oisillons (voir p. 26).

Cette bague qui sert à identifier votre oiseau de compagnie et à prouver l'année de sa naissance ne lui est cependant d'aucune utilité; elle devrait être enlevée par une personne compétente, d'une grande dextérité et qui a de petites pinces spéciales. Ne tentez pas de l'enlever vous-même, vous risquez de faire du mal à votre serin et même de lui casser la patte.

Pourquoi faut-il enlever la bague?
• Elle gêne l'oiseau et il se picote la patte.

- Elle peut causer des accidents si l'oiseau s'accroche à un accessoire quelconque.
- Si la patte de l'oiseau enfle à cause d'une foulure, d'une fracture ou d'une infection, la bague agira comme un garrot et compressera la circulation. La pression qu'exerce la bague sur la chair peut alors provoquer la gangrène et se solder par la perte de la patte.
- N'oubliez pas que l'enflure due, par exemple, à une foulure apparaît très rapidement — en quelques heures. La bague qui était la veille assez grande peut entraîner le lendemain matin des dommages irréversibles.

PREMIERS SOINS

- Appliquez des compresses d'eau froide sur la patte atteinte ou mettez-la sous l'eau froide, pour diminuer l'inflammation et l'enflure.
- Enroulez autour des perchoirs de l'oiseau une bonne couche de papier essuie-tout pour les rendre plus confortables.
- Demandez d'urgence un rendez-vous chez votre vétérinaire. Quelques heures peuvent faire la différence entre une patte simplement blessée et la nécessité de l'amputer parce qu'elle est gravement atteinte.
- Si vous pincez les doigts de l'oiseau et qu'il ne réagit pas, cela veut dire que les nerfs responsables de la sensibilité ont été atteints. Trop souvent, il perdra l'usage de cette patte ou on devra la lui amputer pour prévenir la gangrène.

N.B. La majorité des oiseaux peuvent très bien vivre avec une patte en moins pourvu que les perchoirs soient adaptés: il faut des perchoirs plats et des perchoirs rembourrés pour éviter toute lésion à la patte restante. Cela ne signifie pas que l'oiseau soit condamné.

Lizard, canari à facteur rouge et Gloster corona

Canari frisé blanc

Couple de canaris frisés
Frisé jaune, Norwich huppé et frisé blanc (page suivante)

Groupe de serins

Canari blanc intense

Certaines bagues peuvent servir à identifier votre oiseau si jamais vous le perdiez à l'extérieur. Mais cet avantage ne compense pas les inconvénients: nous vous recommandons de demander à votre vétérinaire s'il est possible d'enlever la bague lors de l'examen annuel. Cette opération étant très délicate, votre vétérinaire jugera s'il est opportun de la réaliser ou non.

Les brûlures

Les brûlures peuvent être causées par un objet chaud, un courant électrique ou des irritants chimiques. Le serin, nous ne le répéterons jamais assez, ne doit jamais être laissé libre sans surveillance. Il peut atterrir sur la cuisinière aux éléments brûlants, dans l'eau de vaisselle ou dans une casserole. Il peut aussi se brûler la langue et la peau en touchant des fils électriques ou en entrant en contact avec des produits toxiques.

Les brûlures sont très douloureuses. Elles peuvent s'infecter et, si elles sont graves, l'oiseau peut même en mourir. Sauf dans les cas très mineurs, l'oiseau devrait être confié aux soins d'un vétérinaire aussitôt que possible.

PREMIERS SOINS

- Appliquez de l'eau froide sur la plaie pour diminuer la douleur.
- Si la brûlure résulte du contact avec un produit acide, appliquez-y un mélange constitué d'une partie d'eau tiède pour une partie de bicarbonate de soude.
- S'il s'agit d'une brûlure par un agent alcalin, vous pouvez y appliquer un peu de vinaigre.
- N'utilisez *jamais* de beurre, de gras ou d'onguent huileux.
- Si le serin gratte sa plaie avec son bec ou ses griffes, essayez d'y appliquer un bandage propre. L'automutilation peut parfois empirer dangereusement un problème qui était mineur au début.

- Prenez rendez-vous chez le vétérinaire. Un antibiotique est souvent nécessaire et parfois un bandage et un analgésique s'imposent. Si les brûlures sont sérieuses, le vétérinaire pourra hospitaliser l'oiseau pour lui donner des traitements d'appoint (sérum, vitamines, intubation). Des brûlures trop profondes peuvent entraîner la nécrose et la perte d'une partie du membre atteint. Si l'oiseau est encore capable de se percher, qu'il ait quatre ou deux doigts n'a aucune importance et il pourra très bien vivre de toute façon.

Les attaques par d'autres animaux

Les habitants à quatre pattes de la maison considèrent souvent votre serin comme une proie alléchante. Les chats, en particulier, peuvent passer des heures à observer un oiseau, rêvant sans doute d'y planter leurs crocs. Nous avons vu des oiseaux mordus ou griffés par des chats, des chiens, des furets et même des rongeurs (rat, souris, hamster).

Peu importe la gravité des blessures qu'aura subies le serin, aussitôt qu'il y a un contact, si minime soit-il, entre le sang de l'oiseau et les griffes ou les dents d'un mammifère, *la situation est grave*. En effet, certaines bactéries, faisant partie de la flore normale du mammifère, peuvent se transmettre de cette façon. Un chien ou un chat, même bien portant, représente un danger pour votre serin: ses bactéries passent dans le sang de l'oiseau (une égratignure suffit!), s'y multiplient et peuvent entraîner la mort deux à quatre jours plus tard.

Sans un traitement immédiat avec l'antibiotique approprié, la plupart des serins succombent à ce genre d'infection. Même avec le médicament approprié, tous ne survivent pas, le plus souvent parce que le propriétaire a trop attendu avant de consulter un vétérinaire. Agissez donc sans tarder.

- Arrêtez l'hémorragie, s'il y a lieu.
- Désinfectez les plaies avec de la teinture d'iode 1 p. 100.
- Appliquez au besoin un bandage propre sur la plaie pour empêcher l'oiseau d'y toucher.
- Prenez rendez-vous immédiatement avec votre vétérinaire. Expliquez-lui que votre oiseau blessé a été attaqué par un autre animal. Vous pourrez ainsi être vu en priorité.
- Même si l'oiseau ne semble pas s'en porter mal, même s'il n'a qu'une blessure superficielle, n'attendez pas! Lorsque l'oiseau sera au fond de la cage, tout gonflé, ce qui risque d'arriver 24 ou 48 heures après l'attaque, il sera souvent trop tard pour le sauver même avec les meilleurs soins médicaux.

Tous les serins ne réagissent pas de la même manière; certains ne seront même pas malades. Mais pourquoi prendre le risque?

Les empoisonnements

L'ingestion de substances toxiques est un accident assez fréquent chez les serins laissés libres sans surveillance. Ils sont curieux, ils aiment explorer et ont l'habitude de goûter à tout. La plus grande vigilance s'impose.

Nous ne pouvons dresser ici la liste complète de toutes les substances toxiques pour votre oiseau; ce serait beaucoup trop long, mais voici quelques recommandations.

1. Tous les produits identifiés comme poison pour les humains sont également dangereux pour les oiseaux.
2. Les plantes et les fleurs attirent particulièrement le serin; malheureusement plusieurs sont toxiques. On peut avoir de la difficulté à identifier une plante et à vérifier si elle est considérée comme dangereuse, d'une part parce que la liste des plantes vénéneuses s'allonge chaque année, d'autre part, parce qu'on

ignore encore si certaines plantes sont dangereuses ou non pour les oiseaux. Nous vous recommandons *de considérer toutes les fleurs et toutes les plantes comme une source de poison et d'en interdire l'accès à votre oiseau.*

3. Les insecticides, les herbicides, les produits de nettoyage, les colles, les teintures, les peintures et les solvants sont particulièrement dangereux.

4. Le tabac, l'alcool, les médicaments et les drogues sont des causes fréquentes d'empoisonnement. Ne les laissez pas à la portée de votre oiseau.

5. Les métaux, comme le plomb ou le cuivre, peuvent empoisonner votre serin même s'il n'en ingère qu'une quantité minime. On trouve du plomb dans certaines peintures, dans les soudures, les crayons à mine, l'encre, certains bijoux, les poids de lignes à pêche. Le cuivre se retrouve dans les fils électriques et téléphoniques, dans les encadrements dorés et les objets décoratifs en cuivre.

6. Les émanations de peinture, de solvant, de gaz, d'insecticide peuvent être absorbées par les fragiles voies respiratoires du serin et l'empoisonner. Les ustensiles de cuisine à revêtement de téflon, s'ils sont laissés sur un feu trop vif, vont aussi dégager des vapeurs souvent mortelles pour l'oiseau.

Les signes d'empoisonnement diffèrent selon la nature du poison, la quantité ingérée et le temps écoulé depuis l'ingestion. On pourrait observer des cas de:
- diarrhée verdâtre et régurgitation;
- sang dans les selles (cuivre et plomb);
- faiblesse et dépression;
- difficulté respiratoire, toux;
- convulsions, perte d'équilibre, perte de vision;
- choc et décès.

Il est donc difficile, en se fiant aux symptômes externes, de poser un diagnostic d'empoisonnement. Soyez attentif et, si votre serin est malade, demandez-vous si vous ne pourriez pas trouver la source du poison. Certains poisons s'accumulent dans l'organisme et ne seront toxiques qu'après des ingestions répétées (l'arsenic en est un exemple tristement célèbre). Le fait que votre serin grignote telle plante ou telle peinture murale depuis plusieurs semaines sans symptôme d'empoisonnement ne signifie pas qu'il soit à l'abri du danger. Ce n'est peut-être qu'une question de temps avant que le poison n'agisse... Si vous soupçonnez un empoisonnement, réagissez vite! N'attendez pas pour voir comment ça ira demain... votre serin sera peut-être mort!

CONSEILS

- Enlevez la source de poison.
- Gardez l'oiseau au calme et à la chaleur.
- Consultez un vétérinaire. Amenez-lui, si possible, un échantillon du poison, des selles et de toute régurgitation.
- Si vous ne pouvez absolument pas consulter immédiatement un vétérinaire et si l'oiseau est conscient, vous pouvez peut-être l'aider temporairement en lui donnant, en utilisant un compte-gouttes, un mélange fait d'une partie de blanc d'œuf cru pour une partie d'un antidiarrhéique à base de kaolin et de pectine (par exemple le Kaopectate).
- Les empoisonnements dus à certains poisons, en particulier le plomb et le cuivre, doivent être traités à l'aide d'un antidote spécifique que le vétérinaire devra injecter à l'oiseau pendant plusieurs jours.

D'autres cas nécessitent peut-être l'injection de fluides et de corticostéroïdes, des lavages d'estomac, des intubations avec du charbon activé et une hospitalisation de quelques jours.

LA PRÉVENTION EST ESSENTIELLE. Surveillez votre oiseau et éloignez de lui tout ce qui risquerait de l'empoisonner. Si vous devez utiliser du vernis, de la peinture, des insecticides ou des désinfectants puissants, sortez *d'abord* le serin de votre maison.

Les maladies du foie, des reins, du pancréas et d'autres organes

Tous les organes internes d'un serin peuvent être atteints par la maladie. Les causes sont multiples: bactérie, virus, fongus, cancer, toxine, problème métabolique, etc. Comme on ne voit pas ces organes lors de l'examen physique et comme les signes d'atteinte interne sont très variables, il est difficile de poser un diagnostic.

Souvent l'oiseau montrera des symptômes très vagues, comme une diminution ou une augmentation de l'appétit, une perte de poids, une vitalité moindre, des selles plus liquides, des urates plus jaunes, etc.

Le vétérinaire devra souvent procéder à des examens du sang et faire des radiographies pour poser son diagnostic. Les maladies du foie sont les plus fréquentes et sont dues pour une bonne part à une diète trop riche en gras. L'excès de gras se dépose dans le foie et détruit les cellules normales (le foie gras que nous mangeons en pâté est en fait le foie d'oiseaux gavés avec une nourriture trop grasse). La surconsommation de graines et le manque d'exercice prédisposent le serin à cette maladie. Souvent, l'oiseau atteint d'hépatite graisseuse a un bec allongé à l'excès, il souffre d'obésité, d'une distension de l'abdomen et de petites hémorragies aux griffes. Cela est attribuable à un manque d'un facteur sanguin responsable d'une bonne coagulation, que le foie atteint ne peut plus synthétiser.

Le traitement varie selon la cause de la maladie et l'organe atteint. Ne tardez pas à consulter un vétérinaire si votre oiseau n'a pas l'air frais et dispos, car plusieurs lésions aux organes internes sont irréversibles.

Les bosses et les enflures

Tous les jours, prenez le temps d'examiner même rapidement l'apparence externe de votre serin. Y a-t-il des plumes déplacées, des enflures étranges, des endroits où l'oiseau se gratte trop? Si oui, votre oiseau a évidemment un problème, mais lequel? Cela est beaucoup plus difficile à dire! Seul le vétérinaire est en mesure d'identifier et de traiter les problèmes d'enflure. Il arrive que l'examen physique suffise mais parfois, il faut procéder à des ponctions ou à des biopsies des masses. Toute bosse n'est pas nécessairement un abcès ou une tumeur! Voici quelques-unes des causes d'enflures les plus fréquentes.

Les hématomes
Un hématome est une accumulation de sang sous la peau.

Les hernies
Une hernie est le passage d'un organe en dehors de sa cavité normale; elle est fréquente chez les femelles qui pondent beaucoup.

Les plumes enkystées
Très fréquent chez le serin, le problème des plumes enkystées semble héréditaire. (Voir p. 110.)

L'emphysème sous-cutané
L'emphysème sous-cutané est une accumulation d'air sous la peau par suite de la rupture d'un sac aérien ou d'un os creux.

Les œufs retenus

La serine ayant un œuf coincé dans l'utérus présente une bosse au niveau du bas-ventre. La présence d'un kyste ou d'un cancer ovarien est aussi possible.

Les abcès

Les abcès (accumulation de pus) sont assez fréquents chez les serins. Contrairement à ce qui est le cas pour les mammifères, le pus des oiseaux n'est pas liquide mais plus souvent solide (comme du fromage à pâte ferme). Un abcès est donc une masse dure, bien localisée et parfois douloureuse.

On les observe souvent au-dessus des yeux, à la gorge, dans la bouche ou sous les pattes. L'hypovitaminose A prédispose aux abcès.

TRAITEMENT

On doit si possible ouvrir l'abcès, le vider de son pus et le nettoyer à l'aide d'une solution antibiotique. Le vétérinaire suggérera souvent une culture de ce pus pour identifier la bactérie responsable. Le serin recevra des antibiotiques systémiques pendant plusieurs jours et des suppléments de vitamine A, s'il y a lieu.

Les abcès sous les pattes sont *très* difficiles à traiter et même souvent incurables; l'oiseau souffre alors de pododermatite ou «Bumble foot» pour reprendre le terme anglais très usité. Les serins obèses et ceux qui sont gardés sur du papier de verre sont spécialement prédisposés à ce problème très sérieux. Les abcès dans le bec ou sur la langue sont aussi dangereux. Ils peuvent devenir si gros qu'ils étouffent l'oiseau. La variole (voir p. 90), qui est incurable, peut se manifester sous forme d'abcès autour des yeux et à la commissure du bec.

N'attendez pas avant de consulter un vétérinaire et n'essayez pas d'antibiotique sans prescription.

Les tumeurs

Les tumeurs, qui sont fréquentes chez le serin, attaquent surtout les organes internes comme le foie ou le rein. Elles sont donc rarement visibles mais si tel est le cas, elles ont des couleurs, des formes, des consistances et des localisations très variables. Les serins ont sur le dos, à la base de la queue, une petite glande qui sécrète des huiles naturelles pour maintenir la qualité du plumage. En se bouchant ou en s'infectant, cette glande peut former une bosse sur le dos; elle est souvent le siège d'un cancer très malin.

Autrement dit, une tumeur peut ressembler à n'importe quoi! Elle peut être bénigne (c'est-à-dire non cancéreuse) ou maligne (cancéreuse). Une tumeur bénigne, même si elle peut parfois réapparaître au même endroit après avoir été enlevée, n'envahira pas les organes internes de l'oiseau. En règle générale, elle n'est pas mortelle, sauf si elle grossit au point d'écraser des organes sains. Une tumeur maligne, par contre, envahit lentement le système du serin et le tue à plus ou moins longue échéance. Il est donc important de bien faire la différence entre l'une et l'autre.

Même si de jeunes sujets sont parfois atteints de cancer, les serins vivent en général assez longtemps, soit de dix à quatorze ans. Néanmoins, les risques de cancer augmentent avec l'âge.

TRAITEMENT

Toutes les masses suspectes devraient être enlevées par intervention chirurgicale. On pratique d'abord une biopsie en prélevant un petit morceau de la masse pour l'analyser. Un échantillon de la tumeur est alors envoyé à un laboratoire pour qu'on puisse l'identifier.

Comme il n'existe pas de traitement pour le cancer chez les humains, n'attendez pas que votre vétérinaire fasse des miracles. S'il pouvait guérir le cancer et s'il en connaissait la cause exacte, il aurait sûrement reçu le prix Nobel! Malheureusement, les masses internes sont très difficiles à exciser et on doit parfois euthanasier l'oiseau pour mettre fin à ses souffrances.

L'obésité

Nous incluons l'obésité dans la rubrique «les bosses et les enflures» parce que certains serins trop gras donnent vraiment l'impression d'être couverts de bosses. L'obésité, qui amène des complications au cœur, au foie et à la peau, doit être considérée comme une maladie qu'il faut soigner. Le développement de certaines tumeurs appelées «lipomes» (qui sont un dépôt de lipides donc de gras) est directement relié à l'obésité. Vous remarquerez alors que votre serin a des masses fermes et jaunâtres au thorax et à l'abdomen. En règle générale, ces tumeurs sont bénignes mais elles peuvent le gêner au point qu'il ne puisse plus voler, qu'il s'automutile ou qu'il ait de la difficulté à déféquer, l'anus étant bloqué par le gras. Un serin trop gras peut aussi avoir des problèmes aux pattes ou, dans le cas d'une femelle, avoir de la difficulté à pondre.

TRAITEMENT

Vous devez supprimer les sucreries, le millet, le pain, les pâtes, diminuer la quantité de graines, mais augmenter l'apport en fruits et en légumes, inciter l'oiseau à faire de l'exercice et… être patient! Remplacer les graines par une moulée équilibrée est une excellente solution si votre oiseau l'accepte. Le serin gourmand privé de nourriture pourra crier pour exiger ses graines. Pensez à sa santé et ne vous laissez pas amadouer, mais assurez-vous qu'il ne se laisse pas mourir de faim! Enfin, sachez que les gros lipomes doivent être excisés.

Les maladies du foie sont très fréquentes chez le serin trop gras. Une radiographie sera souvent nécessaire pour diagnostiquer le problème. Certains médicaments aident à guérir cette maladie; toutefois, le traitement est long et souvent décevant. Il vaut mieux prendre des mesures préventives. Ne suralimentez pas votre oiseau. Faites-le examiner chaque année pour juger de l'état de ses chairs et adaptez son régime en suivant les recommandations de votre vétérinaire.

Les problèmes reliés aux plumes

Avant d'étudier les conditions pathologiques des plumes, nous devons comprendre la mue normale (voir p. 37).

Certaines personnes mal renseignées considèrent la mue comme une maladie et s'empressent d'utiliser des produits «contre la mue» ou aspergent leurs oiseaux de médicaments tels que l'antimite et l'antipicage.

Ces produits, qui ne sont d'aucune utilité pour la mue, peuvent parfois être nocifs. Par exemple, les insecticides contenus dans les produits antimites ou antiparasites sont dangereux et peuvent intoxiquer l'oiseau s'ils sont mal dosés. La plupart de ces produits portent d'ailleurs une étiquette donnant un avertissement très clair: «Gardez hors de la portée des enfants». Comment ce même produit peut-il être inoffensif pour un serin de 100 à 1000 fois plus petit qu'un enfant? Bien sûr, de tels produits ont été administrés des dizaines de fois sans problème apparent, soit à dose inefficace, soit sur des serins particulièrement résistants, car aucune compagnie ne ferait de publicité pour un produit mortel pour tous les oiseaux sur lesquels on l'utiliserait! Mais malgré toutes les preuves qu'ils sont dangereux, ces produits continuent d'être utilisés à tort et à travers. Sachez qu'ils peuvent causer la mort de votre oiseau. Il est peut-être «acceptable» pour un éleveur de sacrifier quelques oiseaux pour soigner des centaines de serins qui souffrent de parasites, mais *NON* pour vous qui n'avez peut-être qu'un seul ami à plumes!

Comme nous l'avons dit, la mue est un phénomène *normal* (et non une maladie) qui se produit une à trois fois par année. L'oiseau perd graduellement, sur une période de quelques semaines, toutes ses anciennes plumes qui sont remplacées au fur et à mesure par des nouvelles. Dans la nature, le serin mue au printemps et à l'automne. En captivité, il est important d'essayer de respecter ce rythme en diminuant les heures où l'oiseau reçoit de la lumière pendant l'automne et en les augmentant au printemps.

Les maladies de la peau et du plumage

Si le plumage présente des anomalies (plumes déformées, coupées ou cassées, zones déplumées ou recouvertes du seul duvet), ou si votre serin perd constamment des plumes depuis plusieurs mois et se gratte à l'excès, il ne s'agit pas d'une mue normale.

Mue excessive

Il arrive qu'une mue soit si rapide que le nouveau plumage n'a même pas eu le temps de pousser. C'est que l'oiseau perd soudainement une quantité anormale de vieilles plumes: vous observerez alors des zones déplumées surtout au niveau des ailes qui se couvriront bientôt de petits pics rouge sang. Ce sont les nouvelles plumes en croissance, qu'on appelle aussi plumes de sang (voir p. 93). Ne vous affolez pas, l'oiseau ne «se saignera» pas, il n'est pas blessé et n'en souffre pas. Les plumes de sang termineront leur croissance quelques semaines plus tard et tout rentrera sans doute dans l'ordre.

Le plus souvent, une mue excessive est attribuable à des facteurs divers: un déménagement, un choc, un brusque changement de température, l'arrivée d'un nouvel animal, etc. Certains canaris peuvent aussi souffrir de parasites, d'une maladie de la peau, d'un débalancement hormonal et d'autres affections. Si vous pensez que ce pourrait être le cas pour votre oiseau, consultez un vétérinaire.

Lorsqu'un oiseau fait une mue excessive, il est recommandé de doubler la quantité de vitamines et de minéraux qu'on lui donne.

Mue trop longue

Une mue qui dure plus de quatre semaines n'est plus normale; vous devriez intervenir avant que l'oiseau n'épuise toutes ses forces à renouveler son plumage sans arrêt.

Vérifiez: a) l'alimentation; b) la température et l'humidité (une atmosphère trop sèche et la climatisation peuvent influencer la mue); c) l'environnement (le stress augmente la durée de la mue) et, s'il y a lieu, corrigez les lacunes. Enfin et surtout, faites examiner l'oiseau pour voir s'il ne souffrirait pas de parasites, d'une maladie de la peau ou d'un débalancement hormonal.

ATTENTION: *n'utilisez jamais d'insecticides, d'antimites, de produits antipicage ou de médicaments contre la mue* sans prescription d'un vétérinaire. Plusieurs de ces produits ont une toxicité élevée surtout pour un oiseau aussi délicat qu'un canari.

Apparition de zones déplumées sans repousse

La pousse d'une plume, de sa sortie de la peau à la taille adulte, s'échelonne sur une période de trois à quatre semaines. Toute zone sans plume devrait donc se recouvrir très rapidement de duvet même dans le cas d'une mue excessive (voir p. 108). Les zones dénudées de façon persistante devraient être considérées anormales sauf si elles n'apparaissent que lorsque l'oiseau est mouillé; en effet, les plumes ne sont pas disposées également partout mais, une fois sèches, elles couvrent tout de même toute la peau.

Trop souvent, le dessus de la tête, la nuque et le cou sont les premiers endroits atteints d'aptérose (absence de plumes). L'étiologie de ce problème est complexe; aussi appelée «calvitie du serin», l'aptérose, qui est bénigne mais peu esthétique, est souvent héréditaire. Elle résulte parfois d'une carence alimentaire (manque de vitamine A, par exemple) et peut être corrigée; parfois, on peut suspecter des parasites et des facteurs internes tels que les débalancements glandulaires et hormonaux.

Consultez votre vétérinaire sans tarder, car plus la chronicité de la maladie est grande et plus il sera difficile de la traiter, si cela est possible d'ailleurs. Chez le canari femelle, une maladie affectant les ovaires (kyste, hypertrophie ou tumeur) peut entraîner la perte de presque toutes les plumes, sauf celles de la queue et des ailes.

Les plumes enkystées ou incarnées

Les oiseaux ont parfois des plumes enkystées ou incarnées. Cette maladie très fréquente qui se transmet génétiquement est malheureusement incurable.

Si votre oiseau souffre de cette maladie, vous verrez apparaître sur le corps et parfois sur les ailes une ou plusieurs bosses jaunâtres plus ou moins recouvertes de plumage. Il s'agit d'une ou de plusieurs plumes qui poussent sous la peau. Ces masses, qui peuvent devenir énormes et gênantes pour l'oiseau, saignent facilement. Elles requièrent une intervention chirurgicale du vétérinaire; néanmoins, elles peuvent réapparaître au même endroit ou ailleurs.

Cette maladie peut se déclencher à tout âge et évoluer d'une façon imprévue. Certains serins ne souffrent de récidives qu'après plusieurs années; d'autres doivent subir des interventions chaque mois. Évitez d'utiliser ces serins pour la reproduction. Les canaris de fantaisie (Norwich) sont les plus touchés par ce problème.

Les parasites internes et externes

Malheureusement, il est assez fréquent que le serin soit l'hôte de visiteurs indésirables que l'on appelle parasites. En général, le parasite affaiblit son hôte mais sans le tuer, car il serait obligé de partir en quête d'une autre victime. Un serin parasité, s'il est soumis à un facteur additionnel de stress (déménagement, changement dans le régime alimentaire, mue, infection, frayeur, malnutrition), peut mourir.

Il est donc essentiel que votre petit canari soit débarrassé de ses parasites. Mais attention! tous les serins qui maigrissent, se grattent ou ont la diarrhée ne sont pas nécessairement parasités. Il faut donc établir un diagnostic adéquat avant de passer au traitement antiparasitaire.

On distingue les *parasites externes* qui vivent sur la peau et les plumes du canari (mites ou poux), et les *parasites internes* qui envahissent certains systèmes de l'oiseau, en particulier le système respiratoire (mites de trachée) et le système digestif (vers, coccidies, protozoaires, etc.).

Les parasites externes sont moins dangereux que les parasites internes, bien qu'ils soient très gênants. Ils peuvent rendre votre serin anémique s'ils appartiennent à une espèce qui se nourrit de sang. Recueillez sur un papier collant tout insecte suspect trouvé à proximité de votre oiseau et remettez-le au vétérinaire pour que celui-ci puisse l'identifier et traiter adéquatement votre petit compagnon.

Il existe depuis quelques années un antiparasitaire très efficace et sécuritaire appelé Ivermectin. Ce produit, en vente uniquement chez les vétérinaires, remplace avec bonheur les poudres et les aérosols qui sont souvent toxiques et polluants. Bien sûr, il est indispensable de désinfecter la cage lorsque vous traitez votre serin contre les parasites.

Pour les parasites internes, le traitement varie selon l'agent en cause. En ce cas, votre vétérinaire fera une analyse des selles ou effectuera d'autres tests, s'il y a lieu. Les parasites, si l'oiseau en souffre, sont pour la plupart présents au moment de l'achat ou alors l'oiseau les aura contractés à la suite d'une sortie à l'extérieur ou au contact de matériaux ou d'oiseaux contaminés.

Le parasite affaiblit l'oiseau, abîme son plumage, provoque des démangeaisons et gêne le serin. Il contribue aussi à la transmission de virus et de bactéries entre oiseaux. Une parasitose nécessite donc un traitement rapide.

Les problèmes de la reproduction

Le serin se reproduit bien en captivité et c'est un véritable plaisir de voir le mâle et la femelle s'accoupler, se relayer pour prendre soin des œufs, nourrir les oisillons et surveiller leur croissance jusqu'à l'âge adulte.

Néanmoins, de nombreux problèmes sont reliés au fort instinct de reproduction de cet oiseau.

La masturbation chez le mâle

Quoique ce comportement soit assez rare, certains mâles «frustrés» ont tendance à sublimer leurs besoins reproducteurs en mimant la copulation, en se frottant rythmiquement la queue sur leurs perchoirs ou sur la main de leur propriétaire lorsqu'ils lui sont très attachés. Ce comportement rend mal à l'aise plus qu'il ne dérange.

Solution
- Remettez votre serin dans sa cage s'il a tendance à vous considérer comme une femelle avec laquelle s'accoupler.
- Laissez faire la nature!

L'agressivité chez le mâle

En période de rut, le serin mâle peut parfois faire montre d'une agressivité déplacée. Il repousse toute caresse et peut tenter de vous impressionner en hérissant son plumage et en vous menaçant de son bec; il peut même vous mordre. S'il vit avec une femelle qui couve ou qui s'occupe de jeunes oisillons, le serin mâle peut être désagréable et les attaquer parce qu'il recherche l'accouplement.

Solution
- Si le mâle est agressif, séparez-le de la femelle ou des jeunes.
- S'il mord — vous ou un membre de la famille —, ne manifestez pas votre surprise (sa morsure est peu douloureuse). Obligez-le à venir sur votre doigt et parlez-lui gentiment jusqu'à ce qu'il se calme (s'il est apprivoisé), puis remettez-le dans la cage. S'il n'est pas apprivoisé, ignorez ses menaces et faites comme d'habitude; surtout ne l'excitez pas en le menaçant de votre doigt!

Le picage

On dit du serin qui s'arrache les plumes parce qu'il est frustré dans son instinct de reproduction, qu'il souffre de picage: il n'a pas de partenaire du sexe opposé ou, s'il en a un, ce dernier refuse de s'accoupler; il n'a pas de nid; son milieu est trop stressant; la durée de la photopériode est inadéquate, etc. Essayez de corriger la situation. En période de ponte, il se produit aussi un phénomène physiologique normal: la femelle s'arrache des plumes sur le bas de l'abdomen pour mettre à nu une petite zone (non visible de loin) qui lui permettra de garder ses œufs encore plus au chaud.

Les œufs retenus

(Avant de lire cette section sur les problèmes de ponte, vous devriez consulter la page 127 qui porte sur la ponte normale.)

Il peut arriver qu'une femelle ne puisse pondre son œuf pour différentes raisons: il est trop gros ou difforme, elle est trop âgée ou trop jeune, elle manque de calcium, son environnement est inadéquat, etc. Un œuf normal est formé et expulsé en vingt-six heures environ; s'il séjourne dans l'abdomen plus de trente-six heures, il s'agit d'un œuf retenu, ce qui est anormal. L'oiseau se tient souvent au fond de la cage ou dans le nid; il a l'abdomen distendu, fait des efforts pour déféquer et ne semble pas à son aise; il sera parfois paralysé. Si vous soupçonnez que c'est le cas de votre serin, consultez un vétérinaire. Une radiographie pourra confirmer le diagnostic. Selon le cas, des injections de calcium, une extraction manuelle ou une césarienne pourront être recommandées.

Si vous ne pouvez consulter immédiatement un vétérinaire, gardez votre femelle serin bien au chaud (30 °C.) et augmentez le taux d'humidité ambiant. Si l'oiseau est alerte et accepte de manger, offrez-lui du fromage ou du yaourt; ils constituent une bonne source de calcium.

N'essayez pas d'extraire l'œuf vous-même. Vous pourriez casser l'œuf dans l'utérus par maladresse et provoquer la mort de votre serin.

Le prolapsus de l'utérus

Si vous apercevez une boule rougeâtre et sanguinolente pendue à l'anus de votre serin femelle, il s'agit probablement d'un prolapsus de l'utérus qui peut, ou non, contenir un œuf. C'est un accident très grave, souvent mortel, qui nécessite les soins immédiats d'un vétérinaire.

Le prolapsus est en fait une descente à l'extérieur du corps de l'oiseau d'une partie de l'utérus. Ce problème est consécutif à une ponte particulièrement difficile pendant laquelle l'oiseau a dû faire de gros efforts pour expulser l'œuf. Parfois, l'œuf se trouve encore dans l'utérus prolapsé.

Une ponte excessive, un manque de calcium dans l'alimentation et une humidité ambiante trop basse sont au nombre des facteurs prédisposant à ce problème.

En pareil cas, le vétérinaire doit, s'il y a lieu, extraire l'œuf puis replacer l'utérus dans la cavité abdominale, si ce dernier n'est pas encore endommagé ni infecté; sinon, l'hystérectomie (ablation de l'utérus par chirurgie) s'impose. Des antibiotiques et un suivi médical seront également requis pendant plusieurs jours.

La péritonite

L'inflammation de la cavité abdominale causée par la rupture d'un follicule (le jaune de l'œuf) est souvent un trouble fatal. Le follicule peut se rompre à la suite d'un traumatisme, de manipulations trop brutales et parfois même, sans cause évidente. Le taux de mortalité est élevé même si l'oiseau reçoit des traitements intensifs.

La ponte excessive

Une femelle qui pond de façon régulière deux nichées de quatre à six œufs par année n'aura, le plus souvent, aucun problème relié à la ponte si son alimentation est bien équilibrée. Par contre, d'autres femelles semblent vouloir établir un record Guinness en pondant parfois plus de 50 œufs par an! Nous considérons qu'une ponte est excessive lorsque plus de huit œufs de suite sont pondus à un ou deux jours d'intervalle ou lorsqu'on assiste à plus de quatre couvées par année. Les dangers reliés à cet excès d'œufs sont réels: épuisement physique de la femelle, œuf retenu, prolapsus utérin, péritonite, fracture d'un membre dû au manque de calcium, paralysie, etc.

Que faire?

Bien des femelles pondeuses ne vivent avec aucun mâle aux alentours. Bien sûr, l'œuf ne peut être fertile et notre premier réflexe est de le jeter. Ne le faites surtout pas! Il faut plutôt:

- Laisser les œufs sur place. Si l'oiseau a pondu au fond de la cage, mettez les œufs dans une soucoupe. Lorsque la femelle en aura de trois à cinq, elle les couvera le temps requis (dix-huit à vingt et un jours). Les boutiques d'animaux vendent aussi de petits œufs artificiels qui seront utiles si votre femelle a la mauvaise habitude de casser ses œufs. Si elle vit avec un mâle, peut-être aurez-vous des oisillons, sinon, elle abandonnera les œufs infertiles après son temps de couvaison et vous pourrez alors les jeter. Son instinct de reproduction ayant été partiellement assouvi, dans la majorité des cas, elle ne pondra plus pendant plusieurs mois.

- Si votre femelle ne s'occupe pas de ses œufs et que son nid ressemble à une future omelette pour un régiment, vous devrez alors tenter de la distraire:
  - déplacez la cage;
  - mettez votre oiseau quelque temps en pension chez des amis;
  - couvrez la cage quelques heures, l'après-midi;
  - ou achetez-lui un compagnon, si ce n'est déjà fait.

- Si aucune de ces stratégies n'aboutit à l'arrêt de la ponte, vous devrez alors veiller à ce que l'apport en vitamines et en minéraux — le calcium et les vitamines D3 surtout — soit optimal pour votre serin. Les aliments suivants se révèlent essentiels: os de seiche ou bloc minéral, suppléments vitaminiques et minéraux dans l'eau ou la nourriture, écailles d'huîtres, fromage, lait, yaourt, coquilles d'œufs broyées. Des hormones sous forme injectable (prescrites par un vétérinaire) pourront aussi, dans certains cas, faire cesser la ponte.

L'hypocalcémie

L'hypocalcémie, un problème de manque de calcium sanguin, est directement reliée à une ponte excessive ou alors à une ponte normale chez un oiseau dont l'alimentation présente des carences en calcium.

Signes: œufs mous ou à coquilles inégales souvent tachés de sang, œufs retenus, fractures des membres sans accident majeur, paralysie d'une ou des deux pattes, convulsions et même la mort.

TRAITEMENTS

1. Augmentez la quantité de calcium dans l'alimentation.
2. Consultez un vétérinaire si les signes sont sérieux. Des injections de calcium seront souvent nécessaires.

Les problèmes des œufs et des oisillons

- *Œufs infertiles, mous, difformes ou tachés de sang*
  Évidemment, si vous n'avez qu'un seul oiseau, l'œuf sera infertile. Mais même si vous avez un couple, plusieurs facteurs peuvent faire en sorte qu'une couvée reste sans éclosion: parents trop jeunes et inexpérimentés, mâle ou femelle infertile, incompatibilité entre les deux, environnement inadéquat, maladie, etc. Un œuf mou, difforme ou taché de sang n'aura que peu de chance d'éclore, mais vous devriez alors vous inquiéter surtout de la femelle, car ces signes annoncent des problèmes tels que la rétention des œufs et l'hypocalcémie.

- *Mortalité chez les oisillons*
  Dans la nature, un certain taux de mortalité infantile est habituellement considéré comme normal. Ne soyez donc pas trop déçu si la première couvée contient quelques petits oisillons morts-nés. Si le problème se reproduit régulièrement, vous

devrez faire examiner les parents (qui peuvent transmettre certaines maladies à l'œuf ou à l'oisillon) et même faire autopsier les bébés. La mortalité chez les oisillons peut également signaler une maladie quelconque, une malformation congénitale ou même révéler l'inexpérience des parents qui ne nourrissent pas suffisamment les jeunes. Vous pourriez devoir nourrir les oisillons à la main, si vos oiseaux sont vraiment de mauvais parents et si vous ne pouvez recourir à l'aide d'un couple adoptif (voir p. 129). Un oisillon malade dépérit encore plus vite qu'un adulte et il est très difficile de le traiter et de le guérir; n'attendez pas pour consulter un vétérinaire.

Note: Il se peut que les oisillons naissent avec une malformation aux pattes, mais c'est heureusement rare chez le serin. Cette maladie serait héréditaire ou résulterait de carences en calcium. Si vous remarquez quelque chose d'anormal aux pattes de vos bébés, amenez-les le plus tôt possible au vétérinaire pour les faire examiner, car la plupart de ces difformités sont réversibles si le traitement est assez précoce. Un matériau inadéquat dans le nid peut aussi causer des problèmes de pattes.

Le serin vieillissant

Malgré sa petite taille, votre ami à plumes a hérité d'une longévité intéressante: il peut vivre de douze à quatorze ans. Mais avec l'âge, les problèmes de santé augmentent: il faut signaler notamment un nombre élevé de cancers, un nombre appréciable de cas de cataractes ainsi que plusieurs cas d'arthrite des pattes.

Si la plupart de ces maux sont incurables, l'euthanasie n'est certes pas la seule solution à envisager: il est souvent possible de préserver une qualité de vie acceptable pour l'oiseau.

Par exemple, un serin devenu complètement aveugle à cause de cataractes peut très bien se débrouiller pourvu que la disposition des différents éléments de sa cage ne soit pas modifiée. Bien sûr, il ne chantera plus, mais il ne sera pas nécessairement malheureux. Quant au serin atteint d'arthrite, il peut vivre confortablement mais avec des perchoirs spécialement adaptés à son état. Pensez-y...

La mort subite

S'agit-il vraiment d'une mort subite?

Nous ne souhaitons à personne de trouver son serin mort dans la cage, sans aucun signe avant-coureur. Mais ce genre de malheur arrive parfois. De nombreuses autopsies nous ont démontré que les morts subites étaient en majorité des cas où l'oiseau avait si habilement dissimulé ses symptômes que le propriétaire inexpérimenté n'avait pu les identifier. Soyez attentif au comportement de votre serin. Un oiseau mort en état de maigreur extrême n'a pas succombé à une crise cardiaque. Il était malade depuis un certain temps déjà et peut-être aurait-il pu être sauvé si son propriétaire avait consulté un vétérinaire.

Les causes de mort subite

Les hémorragies internes, les crises cardiaques, les œufs retenus et les cancers peuvent causer une mort rapide et presque sans symptômes. Ces problèmes ne sont pas contagieux mais vous devriez toujours demander une autopsie si votre serin est emporté subitement, car des virus et des bactéries peuvent être la cause de sa mort.

L'euthanasie

Même si le sujet n'est guère réjouissant, nous trouvons important, en terminant ce chapitre sur les maladies, de discuter de l'euthanasie qui pourrait être définie comme une mort douce et sans souffrance pour délivrer un malade incurable de souffrances extrêmes ou pour tout motif d'ordre éthique.

La médecine n'a hélas! pas vaincu toutes les maladies chez les humains, comme en témoignent nos hôpitaux remplis de malades incurables. En médecine vétérinaire, nous pouvons mettre fin aux souffrances d'un animal malade en lui injectant une forte dose de barbituriques. Il faut savoir que cette mort est très rapide et sans douleur.

Si, malheureusement, votre oiseau souffre d'un cancer généralisé, de blessures majeures, de maladies débilitantes ou de tout autre mal incurable, il serait peut-être plus humain de mettre fin à ses jours.

Les autres méthodes de mise à mort (noyade, empoisonnement, abandon dans la nature, rupture du cou, gaz) sont à proscrire totalement.

On peut hélas! invoquer de mauvaises raisons de se débarrasser d'un oiseau: on ne veut pas investir pour le faire traiter; on n'a plus le temps de s'en occuper; il ne chante pas ou perd ses plumes, etc. En ce cas, il vaudrait mieux contacter un vétérinaire, une société protectrice des animaux ou un éleveur, ou envisager d'autres solutions que la mort.

Votre oiseau n'est pas un bien de consommation jetable ou remplaçable: il est unique et vous en êtes responsable.

La vie sociale

La vie sociale de votre serin implique bien sûr qu'il vit en votre compagnie et en compagnie des membres de votre famille. Sauf pour les sujets que gardent les éleveurs pour perpétuer la race, les serins sont élevés en captivité — et cela depuis des générations — dans le seul but de devenir les compagnons de vie de gens comme vous, prêts à leur offrir un bon foyer.

Il est donc essentiel de créer des liens valorisants entre vous et le serin dont vous êtes l'heureux propriétaire. Votre oiseau n'est pas un simple bibelot que vous admirez de loin lorsque cela vous plaît. Ce petit être a besoin d'un entretien quotidien et d'une certaine attention. Même le plus farouche des serins finira par apprécier le son d'une voix douce et des soins délicats. Peu exigeant, il débordera d'amour et de joie de vivre s'il est bien traité. Il sera un compagnon idéal pour les gens seuls ou âgés.

Aimez-le bien et il vous le rendra au centuple!

Les relations avec d'autres animaux

Ne faites jamais pleinement confiance à un chat même si celui-ci vit en harmonie avec votre serin depuis des années. Voyez-le plutôt comme une «bombe à retardement». Un chat est porteur de bactéries qui sont dangereuses pour le serin (voir le chapitre sur les maladies): un tout petit coup de griffes et votre oiseau pourrait mourir! Par contre, certains chiens peuvent avoir une réelle amitié pour un serin et vice-versa. Soyez quand même prudent, même si le chien a généralement un comportement beaucoup plus digne de confiance que le chat. Les chiens de chasse ou les petits chiens possessifs considèrent le serin comme une proie ou un ennemi: ne les laissez jamais seuls avec l'oiseau.

En général, le serin est indifférent ou peut-être effrayé par la présence de rongeurs (lapins, cochons d'Inde, rats domestiques, etc.); il pourrait se poser par mégarde sur leur cage et se faire mordre les pattes. La prudence s'impose!

Méfiez-vous des furets. Ils sont à coup sûr les plus redoutables, car ils peuvent attaquer un serin à une vitesse fulgurante.

La reproduction

Assurer la reproduction de serins est une entreprise très gratifiante. Si vous êtes le propriétaire d'un couple d'oiseaux qui s'entendent bien et qui jouissent d'une bonne santé, pourquoi ne pas tenter l'aventure? Voir naître et grandir de jeunes serins sera une joie pour vous et pour vos oiseaux.

Ce chapitre sur la reproduction constitue simplement un guide. Si vous tenez à vous lancer dans l'élevage commercial, vous avez avantage à consulter des éleveurs et des vétérinaires, à vous abonner à des publications sur les oiseaux et à devenir membre d'une association d'éleveurs.

N'est pas éleveur qui veut: ce travail demande beaucoup de patience et de temps et, comme il y a suffisamment de producteurs de petits serins à l'heure actuelle, il vaut mieux réfléchir avant de s'engager dans cette voie. Si par ailleurs vous ne désirez obtenir qu'une couvée par an pour satisfaire l'instinct de reproduction de vos oiseaux et voir naître et grandir des petits, prévoyez *d'avance* un bon foyer pour chacun des quatre à six oisillons qui pourraient éclore d'une seule nichée.

Vos amis n'ont peut-être pas tous un intérêt aussi marqué que vous pour les oiseaux; ils ont peut-être déjà plusieurs animaux. Vous-même ne pouvez peut-être pas garder tous les rejetons de votre couple: ce serait bien triste de devoir abandonner les bébés à une société protectrice des animaux ou à une boutique d'animaux déjà surpeuplée...

Heureusement, dans la plupart des cas, les oisillons nés à la maison sont si mignons qu'ils peuvent facilement gagner le cœur des gens de votre entourage.

Physiologie de la reproduction

Il est important de savoir comment les oiseaux se reproduisent (cela diffère beaucoup des mammifères) pour mieux les comprendre et distinguer entre la normalité et un cas problème. Les schémas du système reproducteur mâle et femelle qui suivent vous aideront à comprendre nos explications.

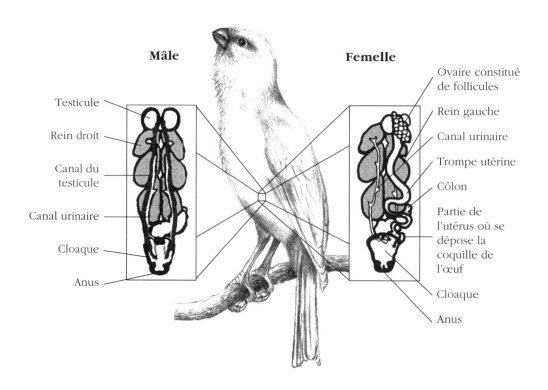

Mâle

Testicule
Rein droit
Canal du testicule
Canal urinaire
Cloaque
Anus

Femelle

Ovaire constitué de follicules
Rein gauche
Canal urinaire
Trompe utérine
Côlon
Partie de l'utérus où se dépose la coquille de l'œuf
Cloaque
Anus

Tous les organes reproducteurs des oiseaux sont internes sauf chez certains gros oiseaux de la famille des canards dont le mâle a un pénis. Votre serin mâle n'a donc pas de pénis et l'accouplement se réalise lorsque les deux oiseaux accolent leur cloaque, qui est l'orifice où aboutissent aussi les systèmes digestif et urinaire. Le mâle a deux testicules situés dans l'abdomen et la femelle n'a qu'un seul ovaire fonctionnel, presque toujours le gauche. L'ovaire ressemble à une grappe de raisins dont les fruits seraient de grosseurs différentes. En fait, il s'agit de jaunes d'œufs à différents stades de développement. Le jaune d'œuf est en réalité un ovule. La femelle n'ovule pas selon un cycle fixe comme chez les humains, mais en fonction de facteurs multiples: la photopériode, la température, la nutrition, la présence d'un mâle, etc. Le jaune d'œuf descend le long de la corne utérine où vont se déposer les différentes membranes, le blanc d'œuf et enfin la coquille.

Il s'écoule environ vingt-six heures entre l'ovulation — le moment où le jaune d'œuf arrivé à maturité se détache de l'ovaire — et l'expulsion de l'œuf. Ensuite seulement commencent la couvaison et le développement de l'embryon qui dureront de quatorze à dix-sept jours à partir du dernier œuf pondu. La femelle pourra donc avoir un abdomen distendu par un œuf pendant *au plus* vingt-six heures. Si cet état persiste plus longtemps, il faut le considérer comme anormal et consulter un vétérinaire le plus rapidement possible. Il s'agit peut-être d'un œuf retenu (voir p. 114) mais une masse cancéreuse, une hernie ou une accumulation de liquide peuvent également être en cause.

Si la femelle s'est accouplée avant l'ovulation, le sperme du mâle ira féconder l'ovule dans l'utérus avant qu'il soit recouvert d'une coquille; la fécondation *est donc interne*. Si la femelle n'a pas été fécondée, elle peut quand même pondre un œuf, infertile bien entendu.

Mon serin est-il un mâle ou une femelle?

Tout éleveur potentiel doit bien sûr se poser une question primordiale: «De quel sexe sont mes serins?» L'homosexualité est fréquente chez les animaux et le fait que deux serins s'aiment tendrement ne veut pas dire qu'ils soient de sexe opposé. Une femelle serin peut pondre même si elle est seule dans la cage ou en présence d'une autre femelle, mais son œuf ne sera pas fertile. Comment donc savoir si vous avez un vrai couple?

- Vos oiseaux ont pondu et l'œuf est fertile. Pas de doute, vous possédez un mâle et une femelle. Vous avez beaucoup de chance!
- Vous vous fiez aux différences extérieures de la forme de l'abdomen. C'est la méthode la plus simple, mais elle ne vaut que pour des oiseaux âgés de plus de six mois. Vous pourriez aussi mettre plusieurs oiseaux en volière et laisser les couples se former. S'ils ont le choix, la majorité des oiseaux préfèrent un compagnon du sexe opposé.

La santé

Pour réussir, il faut des oiseaux en très bonne forme; un examen chez le vétérinaire avant la période de reproduction est à conseiller pour que la mère ait des oisillons qui soient tous en parfaite santé.

Outre une alimentation équilibrée (voir p. 41), les oiseaux en période de reproduction doivent recevoir de la pâtée d'élevage (aussi appelée nourriture de couvaison) et des biscuits aux œufs qu'on trouve dans les boutiques d'animaux ou chez les éleveurs. Assurez-vous aussi que l'apport en vitamines et en minéraux est optimal. Les oiseaux qui se nourrissent en temps normal d'une moulée complète doivent, pour cette période, en recevoir une plus enrichie que les fabricants appellent «moulée pour la reproduction». Si la ponte est abondante (plus de six œufs), augmentez la quantité de calcium.

La rencontre

À la mi-février, rapprochez le mâle de la femelle, en installant les cages côte à côte. Laissez les cages ainsi pendant quelques semaines. Quand le mâle commence à nourrir la femelle à travers les barreaux, installez le nid dans la cage de la femelle. Lorsque celle-ci aura bâti son nid à moitié, mettez le mâle avec elle: il l'aidera à le compléter.

Le nid

Le nid doit être propre, bien aéré et assez grand pour contenir les deux parents. Les serins préfèrent un nid ouvert et rond. Les parents recouvriront le fond du nid de brindilles, de foin séché, de jute naturelle, de laine, de bois ou de morceaux d'essuie-tout. Assurez-vous qu'ils ont tout ce qu'il faut pour nidifier et, au besoin, disposez vous-même quelques brindilles dans le nid pour les stimuler. Méfiez-vous du tissu de nidification qu'on trouve dans les boutiques et de la mousse «de hamster»; leurs fibres sont souvent trop fines et les parents comme les oisillons risquent de s'emberlificoter les pattes, parfois même au point de développer une gangrène et de perdre des doigts.

L'accouplement et la ponte

Vous pouvez voir vos serins s'accoupler plusieurs jours avant la ponte. Le mâle grimpe sur le dos de la femelle qui se penche vers l'avant en poussant parfois de petits piaillements. L'accouplement ne dure que quelques minutes et peut se répéter plusieurs fois par jour. Le sperme du mâle peut vivre plusieurs dizaines d'heures dans l'utérus de la femelle après l'accouplement. La femelle peut pondre de trois à huit œufs (la moyenne étant de quatre œufs) à vingt-quatre ou quarante-huit heures d'intervalle. Tous les accouplements n'aboutiront pas nécessairement à la ponte.

Nous recommandons d'attendre que le mâle et la femelle aient au moins un an avant de tenter la reproduction. Un couple de serins en bonne santé peut avoir de deux à trois portées par année. C'est un maximum recommandable. En général, dans nos contrées, la reproduction commence vers le mois de février ou mars et se termine en été.

Attention! si la reproduction a lieu trop tard dans l'année (fin juin et juillet), les parents peuvent abandonner les petits s'il fait trop chaud.

La couvaison

Les serins mâle et femelle se partagent la tâche de la couvaison et des soins aux nouveau-nés. En général, la femelle couve le jour et le mâle, surtout la nuit. Souvent, si le nid est assez grand, les deux oiseaux vont s'y retrouver en même temps. La majorité des serins sont de très bons parents et le nid reste rarement vide. La couvaison (c'est-à-dire la période pendant laquelle les parents incubent les œufs) est d'environ dix-sept jours à compter du jour où le dernier œuf est pondu. En général, la femelle ne commence à couver que lorsque tous les œufs sont pondus (trois ou quatre habituellement).

L'éclosion

Si vous avez de la chance et que les œufs sont fertiles, l'éclosion aura lieu après la période de couvaison normale. Ne touchez pas aux œufs en éclosion sauf si, après douze heures, un œuf est fendillé mais que l'oisillon n'en sort pas; aidez alors le nouveauné en ouvrant délicatement la coquille. Si la période de couvai-

Canari saxon jaune, canari à facteur rouge, Lizard

Canari saxon jaune
Couple de Norwich huppés (page précédente)

Canari à facteur rouge: variété rouge orangé
Norwich huppé et canari saxon (page suivante)

son normale est depuis longtemps terminée et que les œufs ne sont pas éclos, vous pouvez les jeter si les parents ne s'en occupent plus. Sinon, attendez plutôt que les parents quittent le nid d'eux-mêmes. Mirer les œufs, c'est-à-dire les examiner sous une lumière intense pour voir s'ils contiennent un embryon, peut pousser les parents à abandonner leur nid. Armez-vous de patience et laissez agir la nature. Si toutefois votre couple a eu plus d'une couvaison infertile, il serait bon d'apporter un de ses œufs au vétérinaire qui l'autopsiera pour trouver la cause de l'infertilité.

Les soins aux nouveau-nés

Ce sont les parents qui prennent soin des oisillons. Il vous suffira de leur offrir une très bonne alimentation: une pâtée d'élevage en plus des graines, de la nourriture de table, ou encore une moulée conçue spécialement pour la période de reproduction. Les deux parents nourrissent le bébé en régurgitant dans son bec les graines et la pâtée (ou la moulée) qu'ils ont préalablement consommées. Si les parents nourrissent peu ou pas du tout les oisillons, vous noterez que ces derniers crient constamment, qu'ils s'affaiblissent et risquent de mourir. Essayez de trouver à vos mal-aimés des parents adoptifs; l'idéal serait un autre couple d'oiseaux ayant des jeunes presque du même âge. Si c'est impossible, nourrissez-les à la main (voir ci-après). Ne soyez pas trop déçu s'ils meurent, surtout s'ils ont moins de deux semaines, car il est très difficile de sauver des oisillons de cet âge.

Les oisillons naissent sans plumes, aveugles et entièrement dépendants de leurs parents. Ils vous sembleront vraiment très laids avec leur peau rose et nue et leurs énormes yeux noirs visibles à travers leurs paupières fermées. Les premières plumes apparaissent entre le huitième et le dixième jour et, à l'âge de trois ou quatre semaines, le plumage recouvre entièrement les oisillons. Vers l'âge de deux semaines et demie à trois semaines, les oisillons commencent à sortir le bout de leur bec à l'extérieur du nid et à trois semaines et demie à quatre semaines, ils se perchent et commencent à voler. Ne les sevrez pas complètement avant six à huit semaines et même alors, assurez-vous qu'ils se nourrissent bien d'eux-mêmes avant de les séparer.

Le sevrage

À la fin de la période de reproduction, séparez le père des oisillons mais laissez la mère avec eux.

Quand les jeunes commencent à chanter, mettez-les dans des cages différentes. Il faut parfois les séparer avant qu'ils soient en âge de chanter, car certains jeunes mâles se chamaillent.

On vend la plupart des petits après la première mue, soit vers l'âge de six ou sept mois.

Une fois que vous aurez séparé les jeunes de leur mère, continuez à leur donner de la nourriture de couvaison, des biscuits aux œufs et du millet, pour faciliter la transition. Nous vous conseillons d'écraser les graines avec un rouleau à pâtisserie pour les bébés qui ont de la difficulté à les ouvrir.

Nourrir un oisillon à la main

Il est intéressant de nourrir à la main un jeune serin; même si cela demande beaucoup de temps, l'oiseau n'en sera que plus apprivoisé et deviendra le meilleur des compagnons. Assurez-vous d'abord que vous avez réellement le temps et êtes assez habile pour le faire. Beaucoup de parents serins refusent de recommencer à nourrir leurs oisillons si après quelques jours, leur maître décide de les remettre dans leur nid. Sauf pour de rares cas (les parents arrêtent de nourrir leurs petits, ils les attaquent; les oisillons deviennent orphelins), vous ne devriez jamais tenter de nourrir vous-même des petits avant qu'ils aient deux ou trois semaines. Vous devrez les faire manger de deux à huit fois par jour selon la nourriture que vous aurez choisie (de préférence une nourriture d'élevage déjà préparée et qui a fait ses preuves) et l'âge des oisillons. Consultez un vétérinaire ou une éleveur reconnu. En plus d'être incomplètes, les recettes maison exigent une longue préparation.

Vous administrerez le mélange au bébé avec une seringue ou un compte-gouttes jusqu'à ce que son jabot soit bien tendu et qu'une bosse se forme dans son cou. Vers l'âge de quatre semaines, diminuez la fréquence des repas à la main pour que l'oiseau commence à se nourrir par lui-même. Gardez les oisillons bien au chaud, dans une cage très propre placée dans un endroit calme, car ils sont très fragiles.

- Si vos oiseaux pondent mais ne couvent pas leurs œufs, n'essayez surtout pas de construire un incubateur pour faire éclore les œufs vous-même. Vous réussirez peut-être… mais comment pensez-vous pouvoir nourrir un ou plusieurs oisillons qui, la nuit comme le jour, exigeront une attention et des soins presque constants? Demandez-vous si vous êtes un ange de patience et de dévouement. Le plus souvent, les bébés privés des soins de leurs vrais parents meurent pitoyablement quelques jours après leur naissance.

- Si le couple ne couve pas adéquatement sa progéniture, il existe une solution: il s'agit de transférer les œufs dans le nid d'un autre couple de serins (ou de pinsons) plus affectueux qui pourront servir de parents adoptifs. Et si les parents naturels ne nourrissent pas convenablement leurs rejetons, alors, si vous le pouvez, confiez ces mal-aimés à une nouvelle famille avec des petits ayant à peu près le même âge. Évitez de dépasser la limite de six oisillons par couple.

- Lorsqu'un mâle et une femelle vivent ensemble à longueur d'année, cela peut:
  - épuiser la femelle, si le mâle la harcèle;
  - émousser leur instinct de reproduction, car ils deviennent trop amis;
  - enlever au serin mâle le goût de chanter.

- Vous devez toujours couper les griffes avant la période de reproduction, car les oiseaux risquent de s'emberlificoter dans les matériaux de nidification s'ils ont les ongles trop longs.

- Les éleveurs débutants qui se lancent dans la reproduction échouent souvent pour deux raisons majeures: les serins sont trop jeunes ou en mauvaise santé.

Jeu-questionnaire

La reproduction des serins: que sais-je?
(Cochez la bonne réponse)

1. J'ai trouvé un œuf dans la cage où vivent mes deux serins dont j'ignore le sexe. J'ai donc un couple.

   VRAI ❑   FAUX ❑

2. Ma femelle serin a un gros ventre depuis quelques jours. Cela veut dire qu'elle est enceinte.

   VRAI ❑   FAUX ❑

3. Mon serin mâle ne va pas dans le nid; il n'est donc pas arrivé à fertiliser les œufs.

   VRAI ❑   FAUX ❑

4. Si j'ai un seul serin, il est impossible qu'il ponde.

   VRAI ❑   FAUX ❑

5. Les deux parents s'occupent des œufs et des oisillons.

   VRAI ❑   FAUX ❑

6. On arrive à distinguer le mâle de la femelle en examinant leur bas-ventre.

   VRAI ❑   FAUX ❑

7. Mes serins s'aiment beaucoup, s'embrassent et se cajolent; j'ai donc un mâle et une femelle.

   VRAI ❑   FAUX ❑

8. Il est possible qu'un seul accouplement de ma femelle et de son compagnon produise plusieurs œufs fertiles.

   VRAI ❑   FAUX ❑

9. On peut savoir si les œufs sont fertiles en les examinant de près à la lumière d'une ampoule pour voir, à travers la coquille transparente, s'il y a des vaisseaux sanguins ou un embryon à l'intérieur.

    VRAI ❑   FAUX ❑

10. Pour nourrir leurs bébés, les parents peuvent se contenter d'une pâtée d'élevage.

    VRAI ❑   FAUX ❑

11. Si mes serins ne s'occupent pas de leurs œufs, je peux cons-truire un incubateur et les faire éclore moi-même.

    VRAI ❑   FAUX ❑

12. Si mon serin chante, je suis sûr que c'est un mâle; s'il ne chante pas, c'est une femelle.

    VRAI ❑   FAUX ❑

13. Les oisillons seront de la même couleur que le père ou la mère.

    VRAI ❑   FAUX ❑

14. Si ma femelle pond trop ou si je ne veux plus de bébés, je dois lui enlever ses œufs.

    VRAI ❑   FAUX ❑

15. Il ne faut jamais toucher les œufs avec les doigts, sinon les parents les abandonneront.

    VRAI ❑   FAUX ❑

(Réponses à la page 150.)

L'apprivoisement

Le canari, petit passériforme vif et nerveux, ne se laisse pas facilement apprivoiser. La nature l'a voulu sans défense et, pour assurer sa survie, il fuit devant le prédateur. De ce fait, l'instinct le pousse à se méfier de tout un chacun, même de son maître, peu importe sa patience et sa douceur. Toutefois, il n'est pas impossible d'apprivoiser un serin, surtout s'il s'agit d'un jeune oiseau. Les femelles sont en général moins craintives et plus faciles à approcher.

Règles de base

L'apprivoisement du serin diffère beaucoup de celui des psittacidés (oiseaux au bec crochu, comme la perruche et le perroquet). On ne taille *jamais* les ailes d'un serin pour l'apprivoiser plus facilement: il faut savoir en effet que l'oiseau ira de lui-même vers vous et que ce n'est pas à vous d'aller vers lui.

Commencez par habituer le canari à votre présence à proximité de sa cage; installez-le près de vous lorsque vous vous adonnez à une activité calme: lecture, écriture, menu bricolage, etc.

Observez l'oiseau du coin de l'œil sans le brusquer. Lorsqu'il sera devenu plus calme, souvent après quelques semaines de ce manège, offrez-lui un légume ou un fruit qu'il affectionne particulièrement en le plaçant dans le coin de la cage le plus près de vous.

Donnez-lui cette récompense toujours au même moment dans la journée et vous verrez bientôt que votre oiseau s'approchera, poussé par la gourmandise. Soyez très patient et évitez les mouvements brusques. Ne brûlez pas les étapes.

Vous pourrez approcher graduellement votre main de la cage et tenir vous-même, à travers les barreaux, la récompense choisie.

Lorsque le serin vous fera pleinement confiance, vous pourrez alors ouvrir la porte de la cage et tendre la main vers lui en tenant la gâterie qu'il convoite: à un moment donné, il viendra grignoter au bout de vos doigts. Ensuite vous pourrez avancer la main avec au creux le fruit ou le légume en question et l'oiseau devra se percher sur vos doigts pour l'atteindre. Bravo!

Par la suite, lorsque vous le laisserez voler librement hors de la cage, le serin viendra probablement de lui-même (ou attiré par la nourriture qui l'attend) se poser sur votre main, votre épaule ou votre tête. N'essayez pas de le caresser de votre doigt: il croira que vous le menacez et s'envolera. Sauf pour de très rares exceptions, le canari n'aime pas le contact physique et il ne vient trouver ses maîtres que lorsque bon *lui* semble.

Bien des serins restent farouches et n'arrivent jamais à faire confiance aux humains. Si votre petit compagnon est ainsi, ne le harcelez pas; acceptez ses frayeurs et aimez-le quand même! Certains oiseaux plus calmes n'ont pas besoin d'autant d'attentions; ils pourraient même vous surprendre en se perchant sur votre tête lors de leur promenade quotidienne.

CONSEILS

- Choisissez comme récompense un aliment facile à manipuler: une petite branche de céleri avec les feuilles, une tête de brocoli, un mince quartier de pomme. Même si votre serin aime les bananes, évitez ce genre de fruit car vous aurez vite les mains poisseuses!
- Placez toujours la cage à votre hauteur (sur la table, par exemple), ce qui rassurera votre oiseau: si vous la déposez sur une chaise ou un meuble bas, vous lui semblerez alors menaçant.
- Pour les séances d'apprivoisement, écartez tout ce qui pourrait effrayer l'oiseau (autres animaux, enfants, musique forte, etc.).

Le carnet de santé

Un serin peut vivre de douze à quatorze ans. Vous auriez donc avantage à tenir à jour une fiche d'information à son sujet. Inscrivez-y le lieu et la date d'achat ainsi que la date probable de sa naissance. Notez-y la date des visites chez le vétérinaire, les recommandations qu'il vous a faites, les problèmes et les maladies dont votre serin a souffert. Conservez aussi des notes sur les moments importants de sa vie: son premier chant, sa première sortie à l'extérieur, l'arrivée d'un compagnon et, s'il y a lieu, la date de l'accouplement et de la ponte.

Notez également son poids. Le vétérinaire spécialisé est en mesure de vous l'indiquer, car il utilise une balance très précise (qui ressemble à un chaudron). Le poids de votre serin constitue une précieuse indication de son état de santé; une maigreur ou un embonpoint excessifs ou de trop grandes variations de poids sont autant de facteurs pouvant indiquer un problème.

Il existe depuis peu quelques vaccins pour les oiseaux, mais leur disponibilité et leur efficacité varient selon les pays. Cependant, dans tous les cas, une visite annuelle chez le vétérinaire s'impose. Votre oiseau sera examiné, pesé; il pourra recevoir en même temps différents soins, par exemple une coupe de griffes. Lors de votre première visite chez le vétérinaire, celui-ci vous proposera peut-être de faire passer une série de tests à votre serin: une hématologie (analyse de sang), une parasitologie (pour vérifier si votre oiseau a ou non des parasites) et quelques autres analyses selon le cas. Idéalement, tout serin malade ou nouvellement acheté dont l'examen physique présente certaines anomalies devrait passer ces tests pour que le vétérinaire puisse préciser la cause du problème.

Comment voyager avec votre serin

Le serin n'aime guère les déplacements, car ils sont pour lui une source d'angoisse. De plus, il faut considérer les risques d'accident et les refroidissements qui pourraient le rendre malade. Il existe cependant des circonstances où vous devrez transporter votre petit compagnon. Voici donc quelques suggestions qui rendront le voyage plus agréable pour vous et pour lui.

Planifiez vos déplacements
Assurez-vous de préparer à l'avance tout ce dont vous pourriez avoir besoin lors d'un déplacement: boîte de transport, couverture, perchoir, certificat de santé. Si vous vous préparez à la dernière minute, vous risquez d'oublier des éléments essentiels et d'être en retard à vos rendez-vous (surtout chez le vétérinaire!). Assurez-vous que votre moyen de transport est adéquat (votre voiture est-elle en état de rouler?) et que le départ aura lieu à l'heure prévue (avion, train, etc.).

Vous devez utiliser un contenant d'où le serin ne pourra s'échapper et dans lequel il sera protégé du froid et des courants d'air. Voici des conseils pour vous aider à choisir le contenant le plus approprié.

Sa cage habituelle
Avantages
Vous n'avez pas à manipuler le serin et lui évitez des frayeurs inutiles; vous risquez moins de le voir s'échapper.

Inconvénients

Certaines cages à serins sont lourdes, larges et encombrantes, donc difficiles à déplacer. De plus, par temps froid, il est presque impossible de les couvrir adéquatement. Un oiseau hypernerveux risque plus de s'affoler et de se blesser dans sa propre cage que s'il est confiné dans une boîte obscure. Enlevez toujours les jouets et les pièces mobiles et videz les augets.

La boîte de carton

Avantages

On peut se la procurer facilement en cas d'urgence; elle ne coûte rien, ou presque, et existe en formats variés. Elle est légère et facile à isoler du froid.

Inconvénients

Un serin persévérant peut parfois gruger le carton et arriver à faire un trou assez grand pour s'échapper. De plus, on ne peut pas désinfecter la boîte de carton et si l'oiseau est malade, on ne peut l'utiliser qu'une seule fois.

Une cage ou une boîte spéciale

Avantages

Elle constitue un investissement à long terme et reste sans doute la meilleure façon de déplacer un serin. Ce peut être une petite cage de transport ou d'exposition, avec un perchoir. Une cage est plus difficile à protéger du froid, mais elle est plus aérée par temps chaud et votre oiseau s'y sentira bien. On trouve aussi des boîtes de plastique, pour petits rongeurs, avec une grille sur le dessus et des trous d'aération. Même si vous ne pouvez y installer un perchoir, ce qui plairait davantage à l'oiseau, elles sont idéales par temps froid, car elles sont faciles à couvrir.

Inconvénients

Une boîte de plastique est plus coûteuse que du carton. Mais elle est indispensable si vous déplacez régulièrement votre oiseau; de plus vous pouvez la désinfecter.

À déconseiller

Certaines personnes se contentent de placer l'oiseau dans un sac de papier. Le plus souvent, elles arrivent à destination sans leur précieux compagnon qui s'est échappé chemin faisant…

Se déplacer par temps chaud

S'il est moins risqué de voyager par temps chaud que par temps froid, il faut néanmoins prendre certaines précautions.

- Assurez-vous que le contenant de transport est bien aéré.
- Ne laissez jamais le serin exposé directement aux rayons du soleil.
- Assurez-vous qu'il a à boire en tout temps. Si l'eau risque de se renverser pendant le transport, mettez à sa portée des morceaux de fruits ou de légumes juteux (pomme, banane, raisins, épinards). N'utilisez jamais une éponge mouillée comme source d'eau, le serin pourrait la déchiqueter, en avaler des morceaux et s'étouffer.
- Si le serin respire la bouche ouverte, très rapidement, se tient les ailes loin du corps et a les plumes collées, il a trop chaud. Si cet état persiste trop longtemps ou si la température ambiante continue d'augmenter, il peut devenir faible, comateux et même mourir. Mettez le serin devant une source d'air climatisé ou un ventilateur, mais pas trop près! Arrosez son plumage avec un vaporisateur rempli d'eau pas trop froide. S'il est conscient, offrez-lui de petites quantités d'eau à boire. S'il tombe dans un état d'inconscience, consultez un vétérinaire le plus tôt possible.

Se déplacer par temps froid

Autant que possible, évitez de transporter votre serin par temps froid. Remettez votre voyage à plus tard. Les risques de courants d'air froid et d'infections respiratoires subséquentes sont réels! Par contre, si vous devez vous rendre chez le vétérinaire parce que l'oiseau est malade, ne remettez pas votre visite à plus tard. L'état d'un serin malade peut se détériorer rapidement. Si vous prenez les précautions décrites ci-dessous, tout devrait bien se dérouler.

- Faites réchauffer la voiture pendant plusieurs minutes *avant* d'y installer l'oiseau.
- Couvrez la boîte de transport avec plusieurs couches de serviettes épaisses ou d'une couverture.
- Si le vent est vif, ajoutez un sac de plastique (un sac à déchets est idéal) par-dessus les serviettes ou la couverture.
- Dans la voiture, retirez le sac mais laissez les serviettes ou la couverture. N'ayez crainte, l'oiseau ne manquera pas d'air.
- Ne fumez pas pendant le voyage.
- Limitez le plus possible la durée de votre déplacement, quitte à prendre un raccourci pour vous rendre à destination.

Le voyage sur une longue distance

Pour les déplacements de longue durée, prévoyez des haltes d'au moins quinze minutes toutes les deux heures pour permettre au serin de se détendre, de boire et de manger.

Pour un long voyage, ayez une boîte de transport munie d'un perchoir, sinon l'oiseau sera mal à l'aise et salira ses plumes au contact de ses fientes.

Le voyage en train, en avion ou en autobus

Chaque compagnie de transport a sa propre politique en matière de transport d'oiseaux domestiques. Informez-vous *avant* de partir. Téléphonez à plus d'une compagnie. Idéalement, vous devriez pouvoir garder votre serin avec vous dans la section des passagers. Si vous devez sortir du pays, téléphonez à l'ambassade du pays où vous allez, pour vous informer sur les documents que vous devez produire. Les règlements régissant l'importation des animaux varient d'un pays à un autre et parfois, pour un même pays, d'un mois à l'autre! Ayez la certitude, le jour du départ, que vous êtes en règle pour passer à la douane.

Voyager sans son serin

Il n'est pas toujours facile d'amener un serin avec soi. Si vous devez vous absenter, que faire?

Le laisser seul à la maison

Si vous prévoyez vous absenter pendant vingt-quatre heures ou moins, vous pouvez laisser l'oiseau seul à la maison. Assurez-vous qu'il a de l'eau et des graines en abondance. Pour une période de quarante-huit heures, demandez à un ami de venir changer l'eau et la nourriture pendant la deuxième journée. Plusieurs oiseaux renversent leur bol d'eau en jouant et si personne ne les visite, ils en manqueront pendant une période critique. Vous pourriez cependant installer plusieurs augets.

Ne laissez pas votre oiseau seul à la maison pendant plus de deux jours. Même la visite quotidienne d'un ami ne suffira pas. Le serin est un animal très sociable et, après quelque temps, à moins qu'il ne vive en couple, il deviendra triste, pourra arrêter de manger ou commencera à se déplumer.

Le laisser chez des amis

Le foyer d'un ami (si vous avez un ami qui soit prêt à vous rendre ce service) est le meilleur endroit pour laisser votre serin si vous prévoyez vous absenter plus de quarante-huit heures. S'il y a d'autres oiseaux dans la maison, évitez de les mettre en contact avec le vôtre même s'ils ne semblent pas malades; ils peuvent être porteurs de bactéries ou de parasites, tout comme votre serin. Laissez des instructions claires et précises concernant votre serin: indiquez à votre ami ce qu'il mange, ce qu'il aime, ses activités, son tempérament, l'heure à laquelle il se couche, etc. Il faut toujours prévoir le pire dans ces circonstances: que doit faire votre ami si l'oiseau se blesse ou tombe malade? quel vétérinaire consultera-t-il? quel montant êtes-vous prêt à dépenser pour la santé de votre oiseau? etc.

Le mettre en pension

Si vous ne pouvez trouver d'amis généreux pour prendre soin de votre serin pendant votre absence, vous devrez le mettre en pension.

- Certaines cliniques vétérinaires offrent ce service et si par malchance l'oiseau tombe malade, il sera déjà entre bonnes mains. Assurez-vous cependant qu'il ne se retrouvera pas dans la même pièce que des oiseaux malades, des chiens ou des chats.
- Les boutiques d'animaux peuvent offrir aussi un service de pension pour les oiseaux. Choisissez un endroit bien entretenu où le personnel semble compétent et où votre serin ne sera pas mis en contact avec les pensionnaires destinés à la vente (qui peuvent être malades ou porteurs de parasites). Laissez des instructions écrites concernant les soins à donner si l'oiseau présentait des signes de maladie pendant votre absence. À notre avis, la seule instruction valable devrait être: «Consultez mon vétérinaire (indiquez le nom et le numéro de téléphone) aux premiers signes inquiétants et faites tout ce qui est nécessaire pour préserver la santé de mon oiseau.» Si vos instructions manquent de clarté, il se pourrait que les gens de la boutique d'animaux administrent deux ou trois médicaments à votre serin avant de le faire examiner par un vétérinaire (si l'oiseau est toujours en vie).

- Certains particuliers et de petites entreprises se spécialisent dans les services de pension pour chats, chiens et autres animaux, y compris les oiseaux. Assurez-vous que votre serin ne sera pas en compagnie de chiens ou de chats et que l'endroit est équipé pour recevoir les oiseaux. Votre serin serait très malheureux dans une cage métallique pour chat. Si vous pouviez trouver une pension «pour oiseaux seulement», ce serait encore mieux. Là aussi, laissez par écrit vos recommandations en cas de maladie.

Que faire si l'oiseau s'évade?

Chaque année, surtout en période estivale, quand les fenêtres et les portes sont grandes ouvertes, des dizaines de serins se perdent à l'extérieur au grand dam de leur maître. Ne vous empressez pas de dire que «ça n'arrive qu'aux autres»! Même le serin le plus calme et le plus apprivoisé ne résistera pas à l'attrait des grands espaces.

Que faire si cela vous arrive?
- Si l'oiseau n'est pas juché trop haut et s'il est apprivoisé, approchez-vous doucement en lui parlant constamment et tendez-lui un perchoir ou votre doigt. Une fois que l'oiseau sera perché sur vous, ne tentez pas de le saisir, car il pourrait s'envoler dans un endroit peut-être inaccessible. Marchez plutôt doucement jusqu'à la maison et... ne tremblez pas trop! Vous pouvez aussi approcher sa cage.
- Si l'oiseau est sauvage, ne tentez pas de l'approcher. Il n'y a pas de raison pour qu'il soit plus docile à l'extérieur qu'il ne l'était à la maison. Posez près de lui sa cage, avec la porte grande ouverte, dans laquelle vous aurez mis en abondance des graines, des grappes de millet ou tout autre aliment dont il raffole. Puis, retirez-vous. Bien souvent, après de longues minutes, le serin préférera la sécurité du lieu connu et ira se réfugier dans sa cage. Vous pourriez, à l'aide d'une ficelle accrochée à la porte, refermer la cage à distance, si vous craignez que l'oiseau s'échappe de nouveau.

- Si l'oiseau disparaît de votre vue ou se réfugie très loin, installez tout de même sa cage à l'extérieur; il n'est pas impossible qu'il y revienne… Assurez-vous que sa cage n'est pas accessible aux chats!
- Avertissez vos voisins, mettez des annonces décrivant les caractéristiques de votre oiseau, offrez même une récompense. Vous devriez aussi téléphoner aux cliniques vétérinaires et aux refuges pour animaux, car quelqu'un pourrait avoir trouvé votre oiseau et l'avoir apporté dans l'un de ces endroits.

CONSEILS

- Ne sortez jamais votre oiseau à l'extérieur sans qu'il soit dans une cage convenablement fermée. Posez la cage dans un endroit sûr où elle ne risque pas de se renverser.
- En été, si vous gardez souvent les fenêtres et les portes ouvertes, surtout si vous avez une porte patio, ne sortez votre oiseau que sous surveillance étroite.
- Si vous trouvez un serin à l'extérieur, pensez à son maître qui est sûrement très peiné. Placez une petite annonce et communiquez avec un vétérinaire.

Conclusion

Peu d'oiseaux ont autant de qualités que le canari: il est vif, charmant, enjoué, délicat, élégant; si en plus il a le talent de bien chanter, il n'est pas loin d'être parfait. Mais qu'il chante ou non, votre petit ami à plumes est aussi très fragile et compte sur vous pour sa survie. Aimez-le et il vous le rendra au centuple!

Réponses au jeu-questionnaire de la page 133

Accordez-vous un point par bonne réponse

1. FAUX. La femelle n'a pas besoin du mâle pour pondre. En fait, plusieurs serins femelles vont pondre si elles s'amourachent d'un jouet, de leur image, de vous-même ou d'un oiseau du même sexe. L'œuf sera cependant infertile. Il n'y a pas d'âge limite pour la ponte. L'oiseau peut commencer à pondre à un an ou à dix ans!

2. FAUX. Le serin n'incubant pas les bébés dans son ventre comme les mammifères, il est donc anormal que son ventre soit gonflé plus de vingt-quatre à vingt-six heures. Lorsque cette période est écoulée, l'oiseau devrait pondre l'œuf, et alors seulement, le couver pendant environ dix-sept jours. Il est impossible que l'oisillon se développe dans l'œuf encore dans le ventre de la mère. Un œuf retenu va se putréfier et tuer l'oiseau. Un serin ayant un gros ventre peut aussi souffrir d'un cancer, d'un blocage, d'une hémorragie interne ou d'une autre maladie.

3. FAUX. Les œufs ne sont plus fertilisables lorsque la coquille est formée. Il faut donc que le mâle s'accouple avec la femelle avant la ponte, lorsque l'œuf est dans l'utérus de la femelle, avant que la coquille se forme.

4. FAUX. Voir la réponse n° 1. Même le serin solitaire peut pondre. C'est en fait très fréquent.

5. VRAI. En général, les deux parents se partagent la tâche mais s'il arrivait que l'un d'eux disparaisse, le survivant, père ou mère, pourrait s'occuper seul des œufs et des oisillons.

6. VRAI, mais impossible pour un profane; seul un expert, comme le vétérinaire, l'éleveur ou le propriétaire d'une boutique d'animaux reconnue, saura distinguer un mâle d'une femelle avec néanmoins un taux d'erreur de 10 à 15 p. 100.

7. FAUX. L'homosexualité est possible chez les oiseaux. Même si l'accouplement entre des serins du même sexe est exceptionnel, tous les autres jeux amoureux peuvent se produire.

8. VRAI. Le sperme du mâle est viable plusieurs dizaines d'heures après un accouplement. Il est donc possible, puisqu'un œuf peut être produit toutes les vingt-quatre heures, que deux ou trois œufs soient fertilisés à la suite d'un seul accouplement.

9. VRAI, si on en a l'habitude, mais cette pratique n'est pas recommandable. Le fait de manipuler les œufs peut tuer l'embryon et parfois rebuter les parents de continuer à couver. Armez-vous de patience et attendez plutôt que s'écoulent les dix-sept ou dix-huit jours de couvaison.

10. FAUX. En plus de la pâtée d'élevage, les parents ont aussi besoin de graines, de fruits, de légumes, de nourriture de table, de vitamines et de minéraux.

11. VRAI, mais inacceptable. Vous pourriez facilement construire un incubateur en peu de temps mais sachez que s'occuper des oisillons dès la naissance est irréalisable pour la plupart des gens. Essayez plutôt de savoir pourquoi vos oiseaux délaissent leurs œufs (environnement trop stressant, oiseaux trop jeunes, nid inconfortable, maladies, malnutrition, etc.).

12. FAUX. Environ 10 p. 100 des femelles serins (confirmé par le fait qu'elles pondent) ont un chant comparable à celui du mâle.

13. FAUX. Certains oiseaux ont un plumage aux couleurs dites dominantes et d'autres aux couleurs dites récessives. Les oisillons peuvent donc être différents de leurs parents.

14. FAUX. Cela ne fera que la stimuler. Vous devriez plutôt lui laisser les œufs frais, les faire bouillir ou les remplacer par des œufs artificiels, si vous ne voulez pas d'oisillons.

15. FAUX, dans la plupart des cas. Sutout si le contact de vos doigts avec l'œuf a été très court, par exemple pour le replacer dans le nid d'où il était tombé. Il est cependant recommandé de ne manipuler les œufs que si c'est absolument nécessaire, en utilisant une cuillère à soupe.

• • •

Quel est donc votre résultat?
- *De 11 à 15 points.* Bravo, vous êtes fin prêt à réussir l'accouplement de vos serins!
- *De 7 à 11 points.* Oh là là! Certains détails vous ont peut-être échappé! Relisez le chapitre sur la reproduction et ensuite vous comprendrez mieux par la pratique!
- *Moins de 7 points.* Le monde mystérieux de la reproduction des oiseaux est encore bien ténébreux pour vous. Mieux vaut attendre un peu et comprendre davantage vos oiseaux avant de tenter l'aventure de l'élevage.

Table des matières

Cet ouvrage a été achevé d'imprimer
en février 2000.

 IMPRIMÉ AU CANADA